'24〜'25年版

もらえる年金が本当にわかる本

特定社会保険労務士 下山智恵子
特定社会保険労務士 甲斐美帆 著

この一冊で不安解消！
本当の受給額を確認する方法、必要となる届出、手続きが全部わかる！

成美堂出版

年金のキソの基礎
これだけはおさえておこう

● もらえる年金はいろいろある

- 年金は、年をとったときだけでなく、障害が残ったときや、家族が亡くなり遺族になったときなどにも受け取ることができます。
- 平成27年10月に、共済年金は厚生年金に統合されましたが、共済年金に加入していた期間分は原則として加入していた共済組合から支給されます。
- 「基礎年金」とは国民年金のことをいいます。

年金の種類	事由	国民年金	厚生年金
老齢年金	一定の年齢に達したとき	老齢基礎年金	老齢厚生年金
障害年金	病気・ケガで障害の状態になったとき	障害基礎年金	障害厚生年金
遺族年金	死亡したとき	遺族基礎年金	遺族厚生年金

※平成27年10月、共済年金は厚生年金に統合された。

● 誰もが年金制度に加入している

日本に住所がある20歳以上60歳未満の人は、全員が国民年金に加入しています。20歳になって、加入手続きをしていない人や、保険料を納めていない人は、「制度に加入はしているが、保険料を納めていない(未納)」として扱われます。**「加入したくない」などという希望は通りません。**

「未納」をしていると受け取れなくなるものがあるので、してはいけません。保険料が免除される方法もあるので、まずは、制度をよく知りましょう。

● 保険料を納める期限は翌月末日

保険料を納める期限は、どの制度も原則として翌月末日になっています。

国民年金保険料は、世帯主や配偶者が本人と連帯して納める義務を負っており、厚生年金保険料は、事業主が従業員分も含めて納める義務を負っています。

厚生年金と共済年金は2階建て

おおまかにいうと、自営業者は国民年金、サラリーマンやOL、公務員は厚生年金に加入しています。**厚生年金に加入している人は、自動的に国民年金にも加入している**ため、要件にあえば国民年金と厚生年金の両方もらえます。

	厚生年金	厚生年金 (一元化前は共済年金)	
国民年金 第1号被保険者	国民年金 第2号被保険者	国民年金 第2号被保険者	国民年金 第3号被保険者
自営業者、学生、 農林漁業者、国会議員、 フリーター、無職	サラリーマン、OL	公務員 私立学校の教職員	サラリーマンの妻(夫)

　国民年金と厚生年金は、国が運営していますが、共済年金としてかけた分はそれぞれの共済組合が管理しています。
　平成27年10月から、公務員や私立学校の教職員も厚生年金に加入し、制度も厚生年金に統一されました。

年金の満年齢は誕生日の前日

　年金制度では、**満年齢は誕生日の前日**と考えられています。たとえば、誕生日が4月1日の人は、3月31日が満年齢です。

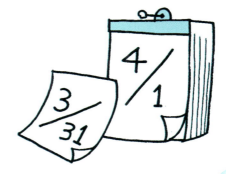

「子」は高校卒業まで

　年金制度で「子」とは、ほとんどの場合、次のいずれかを指します。
　①18歳に達する日以後の最初の3月31日までの結婚していない子
　②20歳未満で障害等級1級または2級に該当する障害の状態にあって、結婚していない子
　これを省略して、「18歳未満の子」「高校卒業までの子」などと表現することがよくあります。

3

本書の使い方

本書は、難しい法律用語をできるだけわかりやすい身近な言葉に置き換えて解説しています。

知りたい項目は、もくじ（→6ページ）とINDEX（→253ページ）から見つけることができます。

内容がひと目でわかるタイトル
各テーマの見出しを読めば、書かれている内容がすぐにわかります。

実務に基づいた解説
直面している問題に対応できるよう、実務と経験に基づいた解説をしています。

豊富なチャートやグラフ
行動の手順や方法などは、見てわかるように図解しています。

MEMOとWORDで+α
難しい用語や制度、知って得する情報をわかりやすく解説しています。

書式見本を掲載
実際に記入するときに参考となるよう、書き方のポイントを掲載しています。

便利な生年月日別早見表を掲載
大事な情報を1ページにまとめています。

※本書は原則として2024年6月現在の法律、年金額等に基づいて書かれています。
※各URLは、サイトの再編集等により変更される場合もあります。

4

若い世代の人から、「私たちは年金をもらえるんでしょうか？」「年金はソンだから払わない」という声を聞くことが多くなりました。

　老齢年金は、10年掛けたら、もらえるようになりました。しかし「10年掛けたからOK」というわけではありません。10年で満額もらえるわけではなく、掛けた年数が短い人はそれなりに少額です。また、老齢年金だけが年金制度ではありません。

　年金の最大の問題点は、「むずかしくてわかりにくい」ことです。よくわからないために、思い込みで判断をする人がたくさんいます。知らずに判断するのが、最もこわいことです。自分の年金は自分で守るという意識で、まずは正しく知ることから始めましょう。

　本書の特徴は次のとおりです。

● むずかしい法律用語をわかりやすい身近な言葉に直しています

　チャート図や表を活用し、年金にはじめて触れる人にもわかりやすいように、表現しました。また、生年月日別に選択肢を一覧にするなど、複雑な情報を一目でわかるよう整理しました。

● 早見表を盛り込みました

　どんなときに、どれくらいの年金がもらえるのかがわかるように、早見表を載せました。制度をよく理解していない人でも、計算せずに一目で受給額を知ることができます。

● 選択に必要な情報をたくさん載せました

　相談を受ける中で、いつも心がけていることは、「これを選択すると、先々こうなる」つまり、選択肢におけるメリットとデメリットを明らかにし、相談者が判断する上で必要な情報を事前に知らせることです。

　たとえば、老齢年金を受け取るには、本来の受取り方法の他に、繰上げ、繰下げなどの方法があり、それぞれにメリットとデメリットがあります。本書では、年金相談に携わる人にとっても実務で参考になる、このような情報をたくさん載せています。

● 周辺の有利な情報までわかります

　たとえば、失業保険と年金の両方をもらえないのは64歳までということを多くの人が知りません。年金を受け取りながら働く人には、さまざまな制度があり、複雑です。受取り方法によって受給額は違ってきます。年金の制度に限定せずに、周辺の制度との比較など、読者の方にとって有利と思われるものを盛り込みました。

● 現実の経験に基づいています

　年金に関する相談をはじめ、高齢者の賃金の設計や社会保険の調査などについて現実に対応した、数多くの経験に基づいています。

　まずは、制度を正しく知ることで、不足分は将来に備えて補うことができます。また、本書は、単なる年金制度の解説書ではなく、制度をふまえてどのように判断すればよいのかまで明らかにしています。

　本書は2008年の初版以来、毎年改訂を重ねて15年を超えました。

　ひとえに読者の皆様のおかげと感謝いたします。

　本書が読者の皆様のお役に立つように願っています。

2024年8月　下山 智恵子

はじめに

もくじ

第 1 章　今年の重要ポイント ……………11
今年の年金額と年金生活者支援給付金《今年の年金額》………………12
年金記録と受給額を確認する方法《受給額の確認》………………14
確定拠出年金はメリットがいっぱい《確定拠出年金》………………18
共済年金と厚生年金の関係《共済年金と厚生年金》………………20

第 2 章　国民年金の基礎と保険料 ……………29
制度を知らずに判断してはいけない《基礎的なしくみ》………………30
滞納すると障害年金はもらえない《国民年金損得》………………32
サラリーマンの妻（夫）は年収130万円まで《国民年金のしくみ》………………34
夫が65歳になったら届け出る《種別変更》………………36
専業主婦（夫）は無料で加入できる《第3号被保険者》………………38
失業したら免除してもらう《保険料免除・納付猶予①》………………40
学生、50歳未満、産前産後は特例がある《保険料免除・納付猶予②》………………42
免除された保険料は10年以内に払う《追納制度》………………44
2年で最大約16,000円節約できる《保険料・前納》………………46

第 3 章　厚生年金の基礎と保険料 ……………49
夫の職業による違いは大きい《厚生年金損得》………………50
転職したらすき間がないよう注意する《厚生年金加入》………………52
サラリーマンは全員厚生年金というわけではない《適用事業所》………………54
規模により加入要件は異なる《パート加入要件》………………56
保険料は会社が半分負担する《保険料》………………58
出産・育児休業はメリットがいっぱい《出産・育児休業特例》………………60

働いて加入期間を増やす 《《厚生年金任意加入》》……………………62
在留見込み期間が5年以内は年金加入が免除される 《《外国人の年金加入》》…64
請求した期間は加入期間とみなされない 《《脱退一時金》》……………………66

第4章 老齢年金のしくみ……………………69

老齢年金をもらう権利は原則10年加入 《《受給資格》》………………………70
加入期間を増やす方法はいろいろある① 《《合算対象期間》》………………72
加入期間を増やす方法はいろいろある② 《《任意加入》》……………………74
国民年金は65歳から受け取る 《《老齢基礎年金》》……………………………76
受取り開始は生年月日で決まる 《《老齢厚生年金・共済年金受給》》…………78
40年加入しないと満額を受け取れない 《《老齢基礎年金》》…………………80
付加年金は2年でもとがとれる有利な制度 《《付加年金》》…………………84
加入月数と報酬をもとに計算する 《《60歳台前半計算式》》…………………86
厚生年金に44年以上加入した人は優遇される 《《60歳台前半特例》》………90
加入実績をもとに受け取れる 《《65歳以降厚生年金・経過的加算》》…………92
厚生年金20年加入でもらえる家族手当 《《加給年金①》》……………………94
妻が20年働くと加給年金をもらえない 《《加給年金②》》……………………96
65歳から妻に払われる 《《振替加算①》》………………………………………98
請求しなければもらえない 《《振替加算②》》………………………………100
稼ぎが多いほど減額される 《《在職老齢年金①》》……………………………102
厚生年金に加入しない働き方を検討する 《《在職老齢年金②》》……………104
50万円までなら減額されない 《《在職老齢年金③》》…………………………106
定年退職では取得と喪失を同じ日で提出する 《《在職老齢年金④》》………108
さらに減額されることもある 《《併給調整》》………………………………110
ハローワークからもお金がもらえる 《《高年齢雇用継続基本給付金》》………112
再就職手当と比べて有利なほうを選択する 《《高年齢再就職給付金》》……114
失業保険と老齢年金の両方はもらえない 《《失業保険との併給調整》》……116
すぐにもらわないなら延長しておく 《《失業保険延長制度》》………………118
65歳直前に退職すれば一挙両得 《《65歳からの失業保険》》…………………120
70歳以降も働けば減額される 《《在職支給停止》》……………………………122
年金を早くからもらうと生涯減額される 《《基礎年金全部繰上げ①》》……124
76歳8か月より寿命が短いと繰上げが得 《《基礎年金全部繰上げ②》》……126

デメリットを知ったうえで繰り上げる 《《基礎年金全部繰上げ③・厚生年金》》…128
年金を増やすならあわてて請求しない 《《繰下げ①》》………………132
繰下げの損益分岐点は86歳 《《繰下げ②》》………………………134
受け取り開始は夫婦で考える 《《厚生年金繰下げ》》………………136
在職中の人は繰下げしても給料と調整される 《《在職老齢年金繰下げ》》…138
ハガキの返送には注意が必要 《《65歳以降の繰下げ》》……………140
自分の年金は自分で守る 《《裁定請求①》》………………………142
年金は自分で請求しないともらえない 《《裁定請求②、その他手続き》》…144
老齢年金には税金がかかる 《《所得税①》》………………………146
確定申告で税金を取り戻そう 《《所得税②》》……………………148

第 5 章 遺族年金のしくみ……………151

遺族年金も2階建てになっている 《《概要》》………………………152
18歳未満の子がいないともらえない 《《遺族基礎年金受給要件①》》…154
滞納が長いともらえない 《《遺族基礎年金受給要件②》》…………156
遺族基礎年金は妻と子2人で月10万円 《《遺族基礎年金受給額、支給停止①》》…158
再婚したらもらえなくなる 《《遺族基礎年金支給停止②》》………160
寡婦年金は女性だけの年金 《《寡婦年金》》………………………162
死亡一時金の遺族の範囲は広い 《《死亡一時金》》…………………164
寡婦年金と死亡一時金は有利なほうを選択する 《《寡婦年金と死亡一時金》》…166
老後の死亡には25年加入が要件 《《遺族厚生年金受給要件》》……168
30歳以上の妻は生涯受給できる 《《遺族厚生年金受給権者》》……170
若くして亡くなっても25年加入とみなされる 《《遺族厚生年金額》》………172

配偶者や父母は生涯受給できる 《《遺族厚生年金支給停止》》 …………………… 174
40歳以上の妻には60万円が加算される 《《中高齢寡婦加算》》 ………………… 176
経過的寡婦加算は昭和31年生まれまで 《《経過的寡婦加算》》 ……………… 178
年金の請求では多くの資料を用意する 《《遺族年金裁定請求》》 …………… 180
亡くなる直前の年金を忘れずに請求する 《《未支給年金》》 ………………… 182

第 6 章　離婚時の年金分割 …………………… 185

国民年金は分割できない 《《合意分割①》》 ………………………………………… 186
妻の加入期間が増えるわけではない 《《合意分割②》》 …………………………… 188
請求するだけで自動的に分割される 《《3号分割》》 ……………………………… 190
熟年離婚は65歳までがまんする 《《遺族年金との損得》》 ……………………… 194
夫の年金記録を内緒で見ることができる 《《情報提供》》 ……………………… 196

第 7 章　障害年金のしくみ …………………… 199

滞納しているともらえない 《《障害基礎年金》》 …………………………………… 200
障害基礎年金は1級で約100万円 《《障害基礎年金額》》 ………………………… 202
20歳前の病気やケガでも受け取れる 《《20歳前の障害基礎年金》》 ………… 206
任意加入しなかった人に救済措置がある 《《特別障害給付金》》 ……………… 208
厚生年金加入者はダブルでもらえる 《《障害厚生年金》》 ……………………… 210
25年加入の最低保障がある 《《障害厚生年金額》》 ……………………………… 212
3級より軽い障害も対象になる 《《障害手当金》》 ………………………………… 214
さまざまなパターンで受給できる 《《事後重症・基準障害・併合》》 ………… 216
障害が重くなったら改定を請求する 《《額の改定・その他障害》》 …………… 218
飲酒運転の事故ではもらえない 《《支給停止・給付制限》》 …………………… 220
不服があれば審査請求をする 《《裁定請求・審査請求》》 ……………………… 222
2種類の年金を同時に受給することはできない 《《併給調整》》 ……………… 224
最も高い金額が支給される 《《老齢と遺族の併給調整》》 ……………………… 226
他の年金との調整は制度によりさまざま 《《労災保険、共済との調整》》 …… 228
労災保険と両方もらえる 《《労災保険などとの併給調整》》 …………………… 230

本文中資料

健康保険 被扶養者(異動)届・国民年金 第3号被保険者関係届／39
厚生年金保険 70歳以上被用者 該当届・不該当届／123
老齢給付裁定請求書（ハガキ形式）／141
年金分割に関する合意書（私文書例）／193

巻末資料

年金請求書（老齢給付）／232
老齢基礎年金・老齢厚生年金　支給繰下げ申出書／241
年金分割のための情報提供請求書／242
年金請求書（遺族給付）／246
健康保険（東京都）・厚生年金保険料額表／250
年金額一覧表／251
保険料一覧表／251
生年月日別早見表／252

ねんきんコラム

●インフレになると年金の価値は目減りする　28
●国民年金基金には税の優遇がある　48
●財形貯蓄の概要　68
●公的年金制度以外の生活保障の準備　150
●夫が亡くなった後の生活保障　184
●公的年金は改正が多い　198

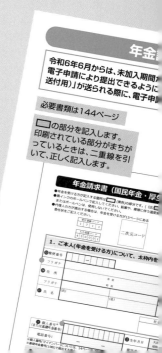

第1章

今年の重要ポイント

今年の年金額と年金生活者支援給付金 12
年金記録と受給額を確認する方法 14
確定拠出年金はメリットがいっぱい 18
共済年金と厚生年金の関係 20

今年の年金額と年金生活者支援給付金

今年の年金額と年金生活者支援給付金

2024年度の年金額は、2.7%アップ

令和6年度の年金額を決定する上での指標は次のとおりです。

> **今年の参考となる指標**
> 物価変動率……3.2%
> 名目手取り賃金変動率……3.1%
> マクロ経済スライドによるスライド調整率……▲0.4%

原則として年金額は、賃金水準と物価水準の変動によって改定されます。

新規裁定者（67歳到達年度までの年金受給者）は名目手取り賃金変動率をもとに、既裁定者（68歳到達年度以降の年金受給者）は物価変動率をもとに改定することになっています。

ただし、名目手取り賃金変動率が物価変動率を下回る場合は、既裁定者も賃金変動率をもとに改定することになっています。

昨年度、名目手取り賃金変動率が物価変動率を上回ったために、新規裁定者は名目手取り賃金変動率を、既裁定者は物価変動率を用いて改定されました。

その結果、昨年度において67歳以下の方（昭和31年4月2日以後生まれ）と68歳以上の方（昭和31年4月1日以前生まれ）は異なる引上げ率になりました。

今年は、名目手取り賃金変動率が物価変動率を下回るため、新規裁定者も既裁定者も賃金変動率（3.1%）をもとに改定されます。

また、マクロ経済スライドによるスライド調整率は、賃金や物価ほどは年金を上昇させないように改定率を調整するしくみで、平成16年から導入されています。

今年度のスライド調整率は、
〔公的年金被保険者総数の変動率（▲0.1%）＋平均余命の伸び率（▲0.3%）〕
から、▲0.4%とされています。

よって、今年の年金額の改定率は、2.7%（3.1%－0.4%）となります。

昨年の年金額が、新規裁定者と既裁定者で異なったため、その額に2.7%の変動率を乗じた結果、今年の年金額も2種類になります。

12　　マクロ経済スライドは、公的年金の加入者数の減少率と平均余命の伸び率に基づいてスライド調整率が決定され、賃金・物価の変動がプラスになる

一定以下の年金生活者に支給される「年金生活者支援給付金」

■2019年10月から支給が始まった

「年金生活者支援給付金」という制度が2019年10月から始まりました。

この制度は、一定以下の所得の年金生活者を支援するためのものです。消費税引き上げ分を活用して年金に上乗せ支給されています。

主な要件は、下の表のとおりです。

■所得の情報は市町村から提供される

年金と同様、本人から請求があった場合に支給されることになっており、年金請求とあわせて給付金の請求もすることになっています。所得の情報は市町村から提供されるので、原則として課税証明書などの添付は必要ありません。

支給要件を満たす場合、2年目以降の手続きは原則不要です。また、支給要件を満たさなくなった場合、「年金生活者支援給付金不該当通知書」が送られます。

給付金は、年金と同様に、2か月ごとに支給されます。さかのぼって支給されず、請求月の翌月からの支給になります。

給付額は、毎年度、物価の変動により改定されます（物価スライド改定）。令和6年度は、令和5年度から3.2％の増額改定となります。

日本国内に住所がなかったり、年金が全額支給停止のときは、この給付金は支給されません。

《年金生活支援給付金の概要》

名称	支給要件	給付額
老齢年金生活者支援給付金	①65歳以上の老齢基礎年金の受給者であること ②前年の公的年金とその他の所得の合計が老齢基礎年金満額以下であること（毎年改定） （所得要件を満たさない人でも、約88万円までの人には所得に応じた「補足的老齢給付金」が支給される） ③同一世帯の全員が市町村民税非課税であること	次の①②を合計する（月額） ①5,310円×保険料納付済期間（月数）／480 ②約11,333円※×保険料免除期間（月数）／480 ※免除により額は異なる。
障害年金生活者支援給付金	①障害基礎年金の受給者であること ②前年の所得が472万1,000円＋扶養親族の数×38万円（70歳以上の扶養親族は48万円、16歳以上19歳未満の扶養親族は63万円）以下であること※ ※障害年金は所得に含まれない	障害等級2級……5,310円（月額） 障害等級1級……6,638円（月額）
遺族年金生活者支援給付金	①遺族基礎年金の受給者であること ②前年の所得が472万1,000円＋扶養親族の数×38万円（70歳以上の扶養親族は48万円、16歳以上19歳未満の扶養親族は63万円）以下であること※ ※遺族年金は所得に含まれない	5,310円（月額）

給付額は毎年度、物価変動に応じて改定される

場合に、差し引くことになっています。

受給額の確認

年金記録と受給額を確認する方法

ねんきん定期便をインターネットで確認する

年金記録を確認するには、電話や窓口へ行く方法のほかに、パソコン等から自分で年金記録を確認できる「ねんきんネット」サービスがあります。

「ねんきんネット」であれば、24時間いつでも知りたいときに、すべての加入状況を知ることができます。

■窓口では基礎年金番号と本人確認書類を持参する

電話や窓口で相談する際には、マイナンバーでもできますが、当分の間、年金手帳もあるほうがいいでしょう。何枚も持っている人は、すべての年金手帳です。

年金額の計算には、妻（夫）の加入記録も必要になるので、夫婦の手帳をすべて用意しましょう。

窓口で相談する際には、この他、「本人確認書類」が必要です。「本人確認書類」は運転免許証やマイナンバーカードなどで、原本を提示する必要があります。

本人に代わって代理人が相談する場合は代理人の「本人確認書類」のほか、委任状を持参します。

確認方法

①電話で相談する

- ●ねんきんダイヤル　0570-05-1165（ナビダイヤル）
  　　　　　　　　　050で始まる電話からは　03-6700-1165
- ●受付時間
  　月曜日　　　午前8時30分～午後7時
  　火～金曜日　午前8時30分～午後5時15分
  　第2土曜日　午前9時30分～午後4時
  　※月曜日が祝日の場合は、翌日以降の開所日初日に午後7時まで
  　　祝日（第2土曜日を除く）、12月29日～1月3日は休み

■電子版のねんきん定期便を利用しよう

郵送版に代えて電子版の「ねんきん定期便」を利用すれば、郵送費など国のコスト削減になります。

毎年誕生月には郵送版と同じものを電子版で見ることができ、ダウンロードして年金記録を保存することができます。

手続きは、「ねんきんネット」にアクセスし、郵送を停止した上で、同サイト内の「通知書を確認する」をクリックすれば可能です（→次ページ）。

郵送版を希望しない場合でも、35歳、45歳、59歳の節目年齢には郵送版が届きます。

②相談窓口へ行って相談する

相談窓口は、年金事務所（従来の社会保険事務所）、街角の年金相談センターです。事前に予約しましょう。

- 予約受付専用電話　0570-05-4890
  050で始まる電話からは、03-6631-7521
- 電話受付時間
  月～金曜日　　午前8時30分～午後5時15分
  （土曜日、日曜日、祝日、12月29日～1月3日は休み）

③「ねんきんネット」で確認する（新規登録方法）

日本年金機構（URLはwww.nenkin.go.jp/）にアクセスします。

③「ねんきんネット」で確認する

日本年金機構（URLはwww.nenkin.go.jp/）にアクセスします。

ここを
クリック

アクセスキーは
「ねんきん定期便」に
記載されている
人もいます。

ここを
クリック

アクセスキーを持って
いない場合は、

ここを
クリック

アクセスキーの
有効期限は、
「ねんきん定期便」
到着後3か月です。

利用規約
同意する

利用規約
同意する

基礎年金番号、住所等を入力
すれば5日程度で
「ユーザIDのお知らせ」が
郵送で届きます。

※この他、メールアドレスなどを入力、
いちばん下の

次に進む（入力内容を確認する） をクリック

ユーザーIDの発行を申し込む をクリック

ユーザID確認用のメールが届きます。
届いたらメール本文中のURLをクリック
してログインします。

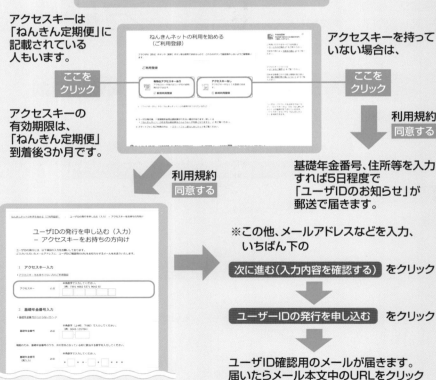

16

老後の年金でいくらもらえますか

自分の老後の年金額を知るには、ねんきんネット、ねんきん定期便などの方法が便利です。ねんきん定期便は誕生月に届きます。

通常は、直近1年間の加入記録、35歳、45歳、59歳の節目年齢には、全期間の詳細な加入記録が記載されています。加入記録にまちがいはないか、確認しておきましょう。

年金見込額は、年齢によって記載内容が異なります。

50歳未満の人の年金見込額には、これまでの加入実績に応じた見込額が書かれています。

50歳以上は、現在の状況のまま60歳まで加入した場合の、65歳から受け取る予定額が書かれています。

60歳以上65歳未満の人には、その時点の加入実績に応じた見込額が書かれています。

ねんきん定期便の見方

〈50歳以上の例〉

保険料を納めた月と免除された月の合計です

「任意加入で保険料を納めていない期間」だけ記載。これ以外の合算対象期間は記載されていません

2. これまでの年金加入期間 （老齢年金の受け取りには、原則として120月以上の受給資格期間が必要です）

国民年金 (a)			船員保険 (c)	年金加入期間 合計（未納月数を除く）(a+b+c)	合算対象期間等 (d)	受給資格期間 (a+b+c+d)
第1号被保険者 未納月数を除く	第3号被保険者	国民年金 計（未納月数を除く）				
0 月	0 月	0 月	0 月	369 月	0 月	369 月

厚生年金保険 (b)			
一般厚生年金	公務員厚生年金	私学共済厚生年金	厚生年金保険 計
369 月	0 月	0 月	369 月

50歳以上では厚生年金基金から支給される分は載っていません

加給年金や振替加算は載っていません

離婚などで分割した後の標準報酬をもとに計算しています

年金の種類と見込額（年額）（現在の加入条件が60歳まで継続すると仮定して見込額を計算しています）

受給開始年齢	歳〜	歳〜	歳〜	65歳〜
(1) 基礎年金				老齢基礎年金 681,888 円
(2) 厚生年金	特別支給の老齢厚生年金	特別支給の老齢厚生年金	特別支給の老齢厚生年金	老齢厚生年金
一般厚生年金期間	円	円	円	1,319,477 円 / 612 円
公務員厚生年金期間	円	円	円	円
私学共済厚生年金期間	円	円	円	円
(1)と(2)の合計	円	円	円	2,001,977 円

一般厚生年金、公務員厚生年金、私学共済厚生年金の加入期間ごとに計算した見込額を表示しています

右のマークは目の不自由な方のための音声コードです。

確定拠出年金の概要

確定拠出年金は メリットがいっぱい

運用は加入者が選択する

　確定拠出年金（DC）とは、掛け金とその運用収益をもとに、将来受け取る額が決定する年金制度です。掛け金を会社が拠出する「企業型」と、自分で拠出する「個人型（iDeCo）」があります。

　運用商品は3つ以上用意されていて、掛け金の運用は、運用商品（預貯金、投資信託、保険商品等）の中から加入者が選択します。

	企業型	個人型（iDeCo）
実施主体	企業年金規約の承認を受けた企業	国民年金基金連合会
加入対象者	実施企業に勤務する厚生年金被保険者	1. 国民年金第1号被保険者（自営業者等） 2. 国民年金第2号被保険者（厚生年金被保険者）（企業型年金加入者は、規約で加入が認められている場合に限る） 3. 国民年金第3号被保険者（専業主婦（夫）） 4. 国民年金任意加入被保険者
掛金	事業主が拠出 （規約で定めた場合は本人も拠出できる）	本人が拠出 （「iDeCo+」（イデコプラス。中小事業主掛け金納付制度）を利用する場合は事業主も拠出可能）
拠出限度額	■確定給付型の年金を実施していない場合：55,000円/月 　（規約で本人拠出を認める場合：35,000円/月） ■確定給付型の年金を実施している場合：27,500円/月 　（規約で本人拠出を認める場合：15,500円/月）	1. 自営業者等（国民年金第1号被保険者）：68,000円/月 　国民年金基金加入者は、その掛け金とあわせて68,000円/月 2. 厚生年金被保険者（国民年金第2号被保険者） ■確定給付型の年金および企業型確定拠出年金に加入していない場合（公務員除く）：23,000円/月 ■企業型確定拠出年金のみに加入している場合：20,000円/月 ■確定給付型の年金のみ、または確定給付型と企業型確定拠出年金の両方に加入している場合：12,000円/月※ ■公務員：12,000円/月※ 3. 専業主婦（夫）（国民年金第3号被保険者）：23,000円/月 4. 国民年金任意加入被保険者：68,000円/月 国民年金基金加入者は、その掛け金と合わせて68,000円/月

※12月からは20,000円/月

確定拠出年金は、加入要件がどんどん緩和されています。2022年5月にも変更され、加入可能年数が65歳未満から70歳未満に（DC）、受取開始年

拠出時、運用益は非課税扱いになる

確定拠出年金は、公的年金の上乗せとして、加入可能年齢や受取開始年齢を引き上げるなど、柔軟な制度運営ができるよう見直しされています。

企業型DCの最大のメリットは、拠出時（積立時）その全額が非課税扱いになるところです。財形や積立貯金が労働者にいったん給与として課税支給され、そこから積み立てることと比べ、税制面で大きな違いがあります。

また、運用益は非課税であり、給付時も年金として受け取る際は公的年金等控除、一時金として受け取る際は退職所得控除が受けられます。

老齢給付、障害給付、死亡一時金などがある

確定拠出年金を受け取る際は、原則として5年以上の有期または終身年金として受け取ります。

老後の資金として「老齢給付金」を受け取るだけでなく、一定の障害状態になれば「障害給付金」、本人が死亡した場合には「死亡一時金」として遺族が受け取る制度もあります。

	老齢給付金	障害給付金	死亡一時金
給付	5年以上の有期または終身年金（規約の規定により一時金の選択可能）	5年以上の有期または終身年金（規約の規定により一時金の選択可能）	一時金
受給要件等	原則60歳に到達した場合に受給することができる（10年に満たない場合は支給開始年齢が段階的に先延ばしになる）	75歳に到達する前に傷病によって一定以上の障害状態になった加入者等が、傷病の状態で一定期間（1年6か月）を経過した場合に受給することができる	加入者が死亡した際、その遺族が資産残高を受給することができる

◆税制面で優遇されている

	企業型DC	iDeCo
拠出時	非課税 事業主掛け金：全額損金算入 加入者掛け金：全額所得控除	非課税 事業主掛け金（iDeCo+）：全額損金算入 加入者掛け金：全額所得控除
運用時	運用益：非課税 積立金：特別法人税課税	
給付時	年金として受け取り：公的年金等控除 一時金として受け取り：退職所得控除	

齢上限が70歳から75歳までになっています。

共済年金と厚生年金

共済年金と厚生年金の関係

厚生年金に公務員、私立学校の教職員も加入し、2階部分の年金は厚生年金に統一された

以前は、自営業者やサラリーマン等の配偶者が加入する国民年金、サラリーマン・OLが加入する厚生年金、公務員・私立学校の教職員が加入する共済年金がありました（厚生年金・共済年金は、国民年金にも加入）。

共済年金は、厚生年金に統一され、次のようになりました。

	厚生年金	
国民年金		
第1号被保険者	第2号被保険者	第3号被保険者
●自営業など	●一般企業　●地方公務員 ●国家公務員　●私立学校教職員	●第2号被保険者の妻（夫）

運営はこれまでどおりの実施機関が行う

厚生年金に統一されても、運営はこれまでどおりの実施機関（日本年金機構、国家公務員共済組合連合会等、地方職員共済組合等、日本私立学校振興・共済事業団等）が行います。

加入記録の管理、保険料の徴収などの業務は、これまでどおり各実施機関が行います。また、年金の決定、支払いも、原則としてこれまでどおりの実施機関が行います（厚生年金として加入した期間分は日本年金機構、共済組合等で加入した期間分は各共済組合等）。

年金給付の受給資格があるかどうかについては、原則として、それぞれの実施機関がほかの厚生年金、共済組合加入期間を合算して行います。

WORD　**実施機関**■厚生年金を運営する日本年金機構（第1号）、国家公務員共済組合連合会等（第2号）、地方職員共済組合等（第3号）、日本私立学校振

1. 老齢厚生年金、遺族厚生年金（長期要件を満たすとき）

それぞれの加入期間ごとに各実施機関が決定、支払います。
※「長期要件を満たす」とは、老齢厚生年金をもらっている人など（→169ページ）。

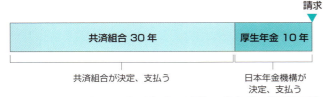

2. 障害厚生年金、障害手当金、遺族厚生年金（短期要件を満たすとき）

初診日または死亡日に加入していた実施機関が、他の実施機関の加入期間分も含め年金額を計算し、決定、支払います。
※「短期要件を満たす」とは、老齢厚生年金に加入中の人など（→169ページ）。

3. 老齢厚生年金の繰下げ請求、繰上げ請求

　2つ以上の厚生年金の加入期間がある人の繰下げ請求は、すべての老齢厚生年金を同時に繰下げ請求する必要があります。

　繰上げ請求についても同様に、2つ以上の厚生年金の加入期間がある人は、同時に行う必要があります。

　1つだけ請求することはできません。

ワンストップサービスが実施された

　一元化後は、日本年金機構と各共済組合との間で情報が共有されるようになっています。

　年金相談や届書の受付については、一部を除き、すべての窓口（日本年金機構および各共済組合）で対応することになりました。届書は受付後、所管の実施機関に回付されます（ワンストップサービス）。

　これにより、これまで他の実施機関の加入期間や年金の受給を明らかにする書類として必要とされた、「年金加入期間確認通知書」や「年金証書」などが不要になりました。

　ただし、一元化前に権利が発生した退職共済年金などについての相談や届書の受付を、日本年金機構で行うことはできません。また、障害年金の請求は、初診日に加入していた実施機関に提出するものとされ、ワンストップサービスの対象になりません。

　なお、年金の請求書は、最後に加入していた実施機関から郵送されます。

興・共済事業団（第4号）を実施機関といいます。

一元化後は新しく被保険者の名称がつけられた

一元化された後も、加入記録は各実施機関が管理することに変わりはありません。そのため、同じ厚生年金被保険者にも、どの実施機関が管理するのかわかりやすくするために、それぞれ名称がつけられました。

被保険者の名称と実施機関

一元化前 ➡	一元化後	被保険者	実施機関
厚生年金保険の被保険者	第1号厚生年金被保険者	第2号から第4号以外の民間被用者等	日本年金機構
国家公務員共済組合の組合員	第2号厚生年金被保険者	国家公務員等	国家公務員共済組合連合会等
地方公務員共済組合の組合員	第3号厚生年金被保険者	地方公務員等	地方職員共済組合等
私立学校教職員共済制度の加入者	第4号厚生年金被保険者	私立学校教職員	日本私立学校振興・共済事業団

共済年金と厚生年金の制度的な違いは、基本的に厚生年金にそろえた

共済年金と厚生年金では、さまざまな制度の違いがありました。一元化されるにあたり、原則として、厚生年金にそろえられました。

厚生年金にそろえたもの

	厚生年金 ⬅	共済年金
①被保険者の年齢制限（→63ページ）	●70歳まで	●年齢制限なし（私学共済除く）
②未支給年金の給付範囲（→183ページ）	●死亡した人と生計を同じくしていた配偶者、子、父母、孫、祖父母、兄弟姉妹（甥姪など）	●遺族（死亡した人によって生計を維持していた配偶者、子、父母、孫、祖父母）、または遺族がないときは相続人
③在職老齢年金の支給停止（→102～107ページ）	●老齢厚生年金受給者が厚生年金に加入したとき ・（賃金＋年金）が50万円を超えたとき、年金の全部または一部を支給停止	●退職共済年金受給者が共済組合に加入したとき ・（賃金＋年金）が28万円を超えたとき、年金の全部または一部を支給停止。3階部分は支給停止 （私学共済は厚生年金と同様） ●退職共済年金受給者が厚生年金に加入したとき ・（賃金＋年金）が50万円を超えたとき、年金の全部または一部を支給停止
④障害給付・遺族給付の支給要件（→168、210ページ）	●保険料納付要件あり	●保険料納付要件なし
⑤障害年金の在職支給停止	●支給停止なし	●退職共済年金と同じ基準で支給停止
⑥遺族年金の転給（→170ページ）	●先順位者が失権しても、次順位以下の人に支給されない	●先順位者が失権したとき、次順位者に支給される

※③在職老齢年金は現在制度に書き換えている。

 国会議員、地方議員は厚生年金にも共済組合にも入っていませんが、議員報酬額に応じて支給停止されることになりました。計算式は、本書に書いているも

共済年金にそろえたもの

	共済年金（改正後の厚生年金）	改正前の厚生年金
①被保険者期間の計算 (→52ページ)	●厚生年金の資格を取得した月に喪失し、国民年金の資格を取得したときは、厚生年金の資格をカウントせず、保険料もなし	●厚生年金の資格を取得した月に喪失し、国民年金の資格を取得したときは、厚生年金の資格をカウントし、保険料も徴収
②端数処理	●各支払期（2か月ごと）の額の1円未満の端数を切り捨て、端数を合計して、翌年2月に加算して支払う	●切り捨てた端数は加算しない
③退職時の年金額の改定 (→108ページ)	●退職した日から1か月を経過した日の属する月から年金額を改定	●資格喪失した日（退職日の翌日）から起算して1か月を経過した日の属する月から年金額を改定
④国会議員、地方議会議員の老齢厚生年金の在職支給停止	●老齢厚生年金の在職支給停止が適用	●支給停止なし
⑤70歳以上の老齢厚生年金の在職支給停止 (→122ページ)	●すべての70歳以上の人の老齢厚生年金の在職支給停止が適用	●昭和12年4月1日以前生まれの人は支給停止なし

第1章 今年の重要ポイント

加給年金での加入期間は合算される

一元化により、さまざまな影響が及びます。

1. 本人（夫とする。逆もありえる）の要件

加給年金を受給する要件である「厚生年金加入20年以上」は、これまで実施機関ごとの加入期間をカウントしましたが、一元化後は合算されるようになりました（加給年金の詳細→94ページ）。

ただし、一元化しただけで支給が開始されるわけではありません。

① 一元化後に、老齢厚生年金の受給権が発生するとき

そのときに合算した期間が20年以上の場合、加給年金が加算されます。

② 一元化前から加給年金を受給しているとき

引き続き支給されます。

③ 一元化前に受給権が発生し、加給年金を受給していないとき

退職時または65歳になったときに合算し、20年以上ある場合は、その時か

のとは異なります。

ら加算されます。

2. 配偶者（妻）の要件

配偶者側にも、「厚生年金に20年以上加入していないこと」という要件があります（→96ページ）。この期間をカウントする上でも、一元化後は加入期間を合算することになりました。

たとえば、公務員として12年働いた後、一般企業で8年働いたようなケースでは、加給年金の対象ではなくなりました。

支給停止されるのは、20年以上加入の老齢厚生年金（特別支給含む）または共済年金の受給開始時です。

3. 加給年金は最初の実施機関から加算される

公務員でもあり、一般企業でも働いていたというように実施機関が2つ以上の場合、加給年金を按分せず、次の優先順位で1つの実施機関から支給されます。
① 最初に受給権を得た機関から
② 同時に2つ以上あるときは被保険者期間が最も長い機関から
③ 加入期間も同じときは1号、2号、3号、4号の順序で

■振替加算での加入期間も合算される

厚生年金、共済年金の加入期間が20年以上の場合、原則として振替加算は行われません。

この加入期間のカウントも、一元化後は合算されます。

① 一元化前から振替加算を受給しているとき

合算して20年になっても、引き続き支給されます。ただし、その後1つの加入期間だけで20年以上になったときは、加算されなくなります。

② 一元化後に振替加算が行われるとき

65歳になったとき、合算した加入期間が20年未満（中高齢の特例あり→96ページ）であれば、振替加算が加算されます。

その後、20年以上になったときは、加算されなくなります。

■合算されるものとされないものがある

厚生年金と共済組合の加入期間のうち、合算されるものとされないものを整理すると、次のようになります。

合算されるもの	合算されないもの
加給年金（→94ページ） 振替加算（→98ページ） 中高齢寡婦加算（→176ページ） 特別支給の老齢厚生年金の1年以上加入（→78ページ）	老齢厚生年金の長期加入者の特例（→90ページ） 定額部分の上限月数（→86ページ） 老齢年金の中高齢の特例（→71ページ）

会社で働いている70歳以上の人で、一定の要件を満たせば在職老齢年金の減額対象者になります（→122ページ）。この場合、定時決定や随時改定、賞与

在職老齢年金の支給停止は、合算して行う

以前は、老齢厚生年金を受給中の人が働いて共済組合に加入しても、年金は停止されませんでした。

一元化後は、厚生年金と共済組合は1つになり、情報が共有されるようになったため、このような場合も停止されるようになりました。

複数の実施機関から老齢厚生年金が支給されている場合の計算方法は、まず年金額を合算して計算式にあてはめ、支給停止額を決定します。

実際に停止される金額は、この支給停止額を各実施機関の厚生年金額に応じて按分されます。

減額対象になるのは、次のいずれかにあてはまる人です。
- 厚生年金（旧共済年金含む）被保険者
- 70歳以上で厚生年金適用事業所に勤務し、加入要件を満たす人
- 国会議員または地方議会の議員

また、65歳未満でハローワークから高年齢雇用継続給付を受給すると、年金がさらに減額される制度があります（→110ページ）。

共済年金に加入していた人も厚生年金となり、この制度の対象になります。

端数処理は、原則として1円単位になる

それまで、厚生年金の年金額は100円単位でしたが、1円単位（50銭未満切り捨て50銭以上切り上げ）に変更されました。

また、2か月ごとの支払い額については、これまで1円未満の端数を切り捨てていたものが、統一後は端数を合計して、翌年2月に支払う年金に加算することになりました。

共済年金の保険料を段階的に引き上げ

共済年金の保険料は、厚生年金とは異なっていました。一元化にあたり、保険料率も統一を図る必要があります。厚生年金保険料は段階的に引き上げられ、18.3％になりました。共済年金もスケジュールは異なりますが最終的に同じ18.3％まで引き上げられることになっています。

支払届などの届は一般の加入者と同じように提出する必要があります。

女性の老齢厚生年金の支給開始年齢は、存続

女性の老齢厚生年金の支給開始年齢は、同じ年齢の男性よりも5年早いものになっています。一方、旧共済年金では、男女とも同じで、厚生年金の男性と同じスケジュールです。

この点について、現時点ではどちらにあわせるということは決まっておらず、経過措置として存続します。

A 厚生年金男性 共済組合男女	B 厚生年金女性
(昭和30年4月2日～昭和32年4月1日生まれ)	(昭和35年4月2日～昭和37年4月1日生まれ)
(昭和32年4月2日～昭和34年4月1日生まれ)	(昭和37年4月2日～昭和39年4月1日生まれ)
(昭和34年4月2日～昭和36年4月1日生まれ)	(昭和39年4月2日～昭和41年4月1日生まれ)
(昭和36年4月2日以後生まれ)	(昭和41年4月2日以後生まれ)

※厚生年金、共済組合加入期間を合算して、1年に満たない場合、60歳台前半の老齢厚生年金はない(加給年金は94ページ参照)。

職域部分が廃止され、「年金払い退職給付」が設けられた

共済年金独自の3階部分である「職域部分」は廃止され、代わりに「年金払い退職給付」ができました。

平成27年9月までの加入期間がある人は「職域年金相当部分」として、平成27年10月以降も受給できます。

また、平成27年10月以降の加入期間がある人は「年金払い退職給付(職域部分)」として、両方の期間がある人は、両方を加入期間に応じて受け取ることになります。

障害共済年金については、初診日で判断されることになっています。初診日が平成27年9月30日以前は障害共済年金として、職域部分が加算されますが、初診日が10月1日以降は職域部分は加算されません。

平成27年10月1日以降に亡くなったときの遺族厚生年金は、職域部分が加算され、毎年少しずつ減額されることになっています。

 パートタイマーの社会保険適用の「週20時間以上」について、所定労働時間が週で決まっていない場合は、①1か月単位で決まっている場合は、1か

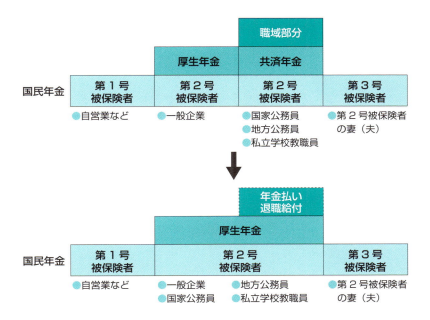

一元化前後の職域部分

一元化前に共済年金の受給権を有している人はこれまでどおりの年金を受給します。
職域部分は、いずれの場合も平成27年10月1日前の加入期間をもとに計算されます。

①平成27年10月1日に65歳以上で受給権を有している人

これまでどおり、退職共済年金として受け取る。3階部分は年金証書では分けて記載されていない。

②平成27年10月1日に65歳未満で受給権を有している人

65歳までは、これまでどおり退職共済年金として受け取る。経過的職域加算額は、職域年金相当部分が廃止されたことに伴い、経過措置として支給されるもの。

③平成27年10月1日以降に受給権が発生する人

3階部分は、1年以上の引き続く組合員期間がある場合、経過措置として支給される。老齢基礎年金は65歳以降。

月の所定労働時間を12分の52で除し、②1年単位で決まっている場合は、1年の所定労働時間を52で除して計算します。

インフレになると年金の価値は目減りする

ねんきんコラム

■以前は賃金や物価に連動して上下した

厚生年金の報酬比例部分の年金額は、従来、賃金スライドと物価スライドの2つの方法をとっていました。

賃金スライドとは、賃金の増加に応じて増減する制度、物価スライドは物価の変動に応じて増減する制度です。

この方法では、物価や賃金が1％上がれば年金もこれにあわせて1％上がりました。そこが個人で掛ける個人年金とは違う、年金制度のよいところでした。

しかし、平成12年の法改正により、賃金スライドをやめ、物価スライドのみを残すことになりました（賃金変動率のほうが小さいときの特例あり。また、67歳到達年度までの年金受給者は賃金変動率による）。

■マクロ経済スライドが導入された

少子高齢化が進行している現在、若い世代に保険料の負担の増加を求める一方で、高齢者世代には年金の支払いを抑制していくことが必要だと考えられるようになりました。そのため、平成16年の法改正により、「マクロ経済スライド」という制度を取り入れることになりました。

「マクロ経済スライド」とは、公的年金の加入者数の減少率と平均余命（平均的な年金受給期間）の伸び率に応じた**「スライド調整率」で、年金額の上昇を抑える**ことをいいます。このスライド調整率は、2025年まで平均0.9％程度見込まれています。

たとえば、物価が1％上昇しても、スライド調整率0.9％を引くので、0.1％しか年金は上昇しません。そのため、インフレになればもらう年金の実質の価値は目減りすることになります。

■「再評価率」も毎年見直される

厚生年金の年金額を計算する場合、昔の給与や賞与の額（標準報酬月額・標準賞与額）を現在の価値に見直すために「再評価率」というものを掛けています。

これが平均標準報酬額であり、平均標準報酬額に被保険者の月数、物価スライド率を乗じて計算した額が、報酬比例部分の年金額となります。

若い世代の保険料を上げない考え方（保険料水準固定方式）が、平成16年の改正で導入され、「再評価率」も毎年**保険料の収入の範囲内で年金額を自動的に改定する**ことになりました。

第2章

国民年金の基礎と保険料

- 制度を知らずに判断してはいけない　30
- 滞納すると障害年金はもらえない　32
- サラリーマンの妻（夫）は年収130万円まで　34
- 夫が65歳になったら届け出る　36
- 専業主婦（夫）は無料で加入できる　38
- 失業したら免除してもらう　40
- 学生、50歳未満、産前産後は特例がある　42
- 免除された保険料は10年以内に払う　44
- 2年で最大約16,000円節約できる　46

年金の基礎的なしくみ

制度を知らずに判断してはいけない

損得は一概にいえない

「年金制度は損だから入らない」という話をよく耳にします。しかし、年金制度は本当に損な制度でしょうか？

保険料を滞納していると交通事故で障害者になっても障害年金はもらえません。また、老齢年金は終身保険（死ぬまでもらえる保険）なので、受給する年金額のトータルは、もらう年数つまり、何歳まで生きるかによって変わります。

人生100年といわれるようになりました。65歳から100歳まで年80万円受給すると、トータル2,800万円です。

年金制度は、知らずに判断するのが一番の問題です。まずは、制度を正しく知ることから始めましょう。

年金制度は若い世代が高齢者を支えている

年金制度の原則は、若い世代が高齢者を支える世代間扶養といわれる考えに基づいています。貯蓄ではないので、本来、払ったものに対するリターンを考えるのはおかしいことなのです。

しかし、この議論をすることは本書の趣旨ではないので、読者の方が得をする方法を考えていくことにしましょう。

厚生年金には国民年金が必ずついてくる

公的年金には国民年金、厚生年金の2種類の制度があり、**職業などによって加入すべき年金制度が違ってきます**。共済年金は平成27年10月に厚生年金に統合されました。

①**国民年金**

自営業者、学生、農林漁業者、国会議員、サラリーマンや公務員の妻または夫（専業主婦(夫)）、フリーター、無職の人

②**厚生年金**

サラリーマン、OL、公務員、私立学校の教職員

よく、「年金は2階建て」といわれます。これは、国民年金からは基礎年金（1階部分）が、厚生年金や旧共済年金に加入した人には、基礎年金（1階部分）に加えて、厚生年金から2階部分がもらえることを指しています。

3階部分としては、厚生年金基金や企業年金などがあります。

 共済年金 ■共済年金には、国家公務員共済組合、地方公務員共済組合、日本私立学校振興・共済事業団があり、公務員や私立学校教職員などが加入

年金制度は世代間で支えている

現在では、現役世代（20歳～64歳）2人で1人の高齢者世代（65歳以上）を支えています。
今後は少子高齢化に伴い、高齢者世代を支える現役世代の人数は減っていくと考えられています。

2階建てと1階建ての人がいる

	厚生年金	厚生年金（旧共済年金）	
国民年金 第1号被保険者	国民年金 第2号被保険者	国民年金 第2号被保険者	国民年金 第3号被保険者
保険料 毎月16,980円（2024年度）	会社と半額ずつ負担	国・地方自治体等と半額ずつ負担	0円
自営業者、学生、農林漁業者、国会議員、フリーター、無職	サラリーマン、OL	公務員 私立学校の教職員	サラリーマンの妻(夫)

※共済年金は平成27年10月以降、厚生年金に統合された。

◆もらえる年金（概要）

年金の種類	事由	国民年金	厚生年金
老齢年金	一定の年齢に達したとき	老齢基礎年金	老齢厚生年金
障害年金	病気・ケガで障害の状態になったとき	障害基礎年金	障害厚生年金
遺族年金	死亡したとき	遺族基礎年金	遺族厚生年金

しました。各制度の窓口は統合してもそのまま存続します。

国民年金の損得

滞納すると障害年金はもらえない

滞納がこわい障害年金

「年金は損」と思い、**滞納（未納）すると、交通事故などで障害者になっても無年金になってしまう**ことがあります。

国民年金の障害年金（障害基礎年金という→200ページ）を受給するには、次の要件のどちらかを満たさなければなりません。
① 初診日の前々月までの被保険者期間のうち、保険料納付済期間と保険料免除期間をあわせて3分の2以上であること。
② 初診日の前々月までの1年間に保険料の滞納がないこと（2026年3月31日までの特例）。

この納付要件では、いずれの場合も「初診日の前日」時点の納付状況を判断します。交通事故を例にとると、交通事故に遭った日の前日時点の納付状況を見るので、**事故に遭った日にあわてて納付しても間に合いません**。障害基礎年金の要件に該当すれば、1級障害は1,020,000円、2級障害は816,000円を毎年もらえます。

何もせずに滞納することは、最も損な方法です。年金を払うことが難しければ、免除制度（→40ページ）に該当しないか確認してみましょう。免除制度を利用すれば、滞納とは異なって、万が一の無年金を防ぐことができるのです。

また、遺族基礎年金にも障害基礎年金とほぼ同じ納付要件があります。

このように、国民年金は、**年をとったときだけでなく、障害者になったときや死亡したときにも給付されます**（要件あり）。その分の生命保険に加入する必要はないと考えると、活用次第で損とはいえないものなのです。

2分の1が税金で賄われる

国民年金の最大のメリットは、税金が投入されていることです。私たちがもらう年金には、支払った保険料プラス国の負担分が入っているので、自分の保険料だけで運用する個人年金よりも運用利率が高くなります。

平成21年3月までは、基礎年金の3分の1にあたる税金が投入されていましたが（国庫負担）、4月からは2分の1に引き上げられました。

　個人年金■ゆとりのある老後を過ごすため、公的年金（国民年金、厚生年金、共済組合）を補充する方法の1つに個人年金があります。生命保険会

障害年金の保険料納付要件

①または②のいずれかを満たすこと
（②は初診日が2026年3月31日までの特例）

- 初診日の前日で判断します。
- 障害基礎年金の納付要件には特例があります。
  - 初診日が20歳未満の場合…**20歳前による障害基礎年金**（→206ページ）
  - 平成3年3月以前に国民年金任意加入の対象者だった学生。
  - 昭和61年3月以前に国民年金任意加入対象だったサラリーマンの妻（夫）。 ｝ **特別障害給付金**（→208ページ）

■国民年金から受け取る主な年金

	保険料納付要件（概要）	もらえる主なもの
老齢基礎年金	保険料納付済期間＋保険料免除期間＋合算対象期間が10年以上	65歳に達したら毎年816,000円（813,700円）
障害基礎年金	①初診日の前々月までの被保険者期間のうち、保険料納付済期間と保険料免除期間をあわせて3分の2以上であること（初診日の前日で見る）。または②初診日の前々月までの1年間に保険料の滞納がないこと（2026年3月31日までの特例）。	1級障害は1,020,000円（1,017,125円）2級障害は816,000円（813,700円）＋子1人あたり234,800円（子3人目以降78,300円）原則、高校卒業までの子
遺族基礎年金	①死亡日の前々月までの被保険者期間のうち、保険料納付済期間と保険料免除期間をあわせて3分の2以上であること（死亡日の前日で見る）。または②死亡日の前々月までの1年間に保険料の滞納がないこと（2026年3月31日までの特例）。	816,000円（813,700円）＋子1人あたり234,800円（子3人目以降78,300円）原則「高校卒業までの子のいる妻」または「高校卒業までの子」に支給される

※カッコ内の金額は68歳以上の方。

国民年金のしくみ

サラリーマンの妻(夫)は年収130万円まで

国民年金には全員加入している

日本国内に住んでいる20歳以上60歳未満の人は全員国民年金に加入することになっています（強制加入）。

誰もが国民年金の加入者（被保険者）として、第1号から第3号の3つの種別に分けられます（外国人は特例あり→64ページ）。

①第1号被保険者

日本国内に住んでいる20歳以上60歳未満の人。第2号被保険者、第3号被保険者に該当しない人は、すべて第1号被保険者です。

保険料を払わずに放置している人もこの中に入ります。払わなかった期間は、第1号被保険者の未納期間となります。

②第2号被保険者

厚生年金に加入している人。ただし、65歳以降は、老齢基礎年金をもらう権利を得るまでの期間です。

③第3号被保険者

第2号被保険者に扶養されている配偶者（専業主婦（夫））で20歳以上60歳未満の人が該当します。

保険料やもらう年金がそれぞれ違う

それぞれの区分によって、保険料やもらう年金の種類が異なります。

①第1号被保険者

国民年金の保険料を自分で直接、日本年金機構に支払います（手続きは市区町村）。もらう年金は1階部分である国民年金だけになります。

②第2号被保険者

保険料は、毎月給料から天引きされる厚生年金保険料に含まれています。もらう年金は1階部分の国民年金と2階部分である厚生年金の両方です。

③第3号被保険者

タダで保険料を払ったことにしてくれる、とてもお得な制度です。配偶者（第2号被保険者）が加入している厚生年金が必要な費用を負担するので、自分で保険料を納める必要がありません。

実際の保険料は、配偶者（第2号被保険者）が負担する分に上乗せされるわけではありません。

もらう年金は1階部分である国民年金だけです。

基礎年金拠出金 ■第2号被保険者（サラリーマンやOL、公務員、私立学校の教職員）が支払った厚生年金保険料のうち、一部は国民年金保険料の原

第3号被保険者の年収は130万円まで

第3号被保険者の要件である、「第2号被保険者に扶養されている妻（配偶者）」のことを被扶養配偶者といいます。

被扶養配偶者と認められるには、第2号被保険者（配偶者）の収入で生活をし、年収が130万円未満であるという条件があります。

なお、ここでいう配偶者には事実婚（内縁。籍は入れていないが、実質の配偶者）も含まれます。

事実婚と認められるには、住民票など事実婚関係を証明する書類が必要となります。

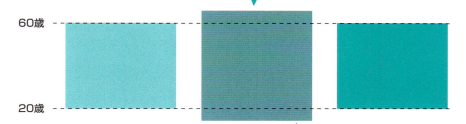

年齢と国民年金加入の関係

第1号被保険者
自営業者やその配偶者、学生、農林漁業者、国会議員、フリーター、無職の人

第2号被保険者
サラリーマンやOL、公務員、私立学校の教職員（厚生年金）
※原則65歳までとなっています。65歳で老齢基礎年金をもらう権利がない人は権利を得るまで。

第3号被保険者
第2号被保険者の妻もしくは夫（専業主婦（夫））
※年齢制限はありません。

hint 海外に住む場合の年金加入

海外へ留学したり、国際結婚などにより海外で生活する場合、国民年金の第1号被保険者だった人は、翌日に加入者ではなくなります。20歳以上60歳未満の日本人で海外居住の期間は、加入期間を計算する上では含まれるカラ期間（→72ページ）です。保険料を払っていないので、その分老齢基礎年金が減額されます。
この場合、任意加入の手続きをして保険料を納めておけば、カラ期間でなく保険料納付済期間となり、将来受け取る年金額に反映されます。
第2号被保険者、第3号被保険者の人は海外でもそのまま加入は継続します（5年以内は特例あり→64ページ）。

資として振り替えられています。

国民年金種別の変更

夫が65歳になったら届け出る

届け出なければ未納扱いになる

　20歳になったとき、国民年金にはじめて加入することになります。これまでは、20歳になると、加入手続きをする必要がありました。令和元年10月からは、手続きなしで加入することになりました。20歳になると、日本年金機構からお知らせと保険料納付書が届きます。

　学生は親の年収が高くても保険料を猶予される制度もあるので、必ず手続きをしましょう（→42ページ）。

　20歳前から会社に勤めている場合は入社したときに第2号被保険者になり、勤務先が手続きをしてくれます。

退職や結婚をしたら種別変更の手続きが必要

　就職、退職、結婚などで種別が変わるときは種別変更の届出をしなければなりません（→次ページ）。

　届け出先は原則として、変更後の種別が第1号被保険者のときは住所地の市町村国民年金係、第2号被保険者、第3号被保険者のときは勤務先です（→次ページ）。

夫の退職と65歳には注意が必要

　夫が定年退職する時に、妻（被扶養配偶者）が60歳になっていないときは要注意です。今まで妻は第3号でしたが、被扶養配偶者でなくなるため、第1号に変更する手続きをしないといけません。

　もし変更の届出を忘れていたら、その間の保険料を支払っていなかったことになり、将来もらう年金額が減ったり、年金をもらうのに必要な加入期間が足りずに年金の受給権が得られないといったことも起こってきます。

　サラリーマン・公務員の夫（妻）が65歳になったときも同じことが起こります。夫（妻）は65歳以降は第2号被保険者でなくなるため、妻（夫）は第3号ではなく第1号被保険者に変更になります。**したがって、妻（夫）は自分で手続きをして保険料を支払わなければなりません。**

　ただし、夫（妻）が65歳になっても老齢基礎年金をもらうのに必要な加入期間を満たしておらず、まだ働いている間は、必要な加入期間を満たすまで第3号被保険者のままでいられます。

会社を退職したなどで第1号被保険者になるときは、退職後14日以内に市区町村の国民年金係へ年金手帳を添えて種別変更の届出をしましょう。

種別変更のとき、どこに届け出ればいいの？

変更後の種別	届出先
第1号被保険者 変更例:退職して自営業を始めた（第2号→第1号）	住所地の市区町村の国民年金係へ届出をします。
第2号被保険者 変更例1:学生からサラリーマンや公務員になった（第1号→第2号） 変更例2:専業主婦の人が会社勤めを始めた（第3号→第2号）	勤務先で手続きをしてくれます。
第3号被保険者 変更例:結婚して退職し、専業主婦（夫）になった（第2号→第3号）	配偶者の勤務先に届出をすれば勤務先で届出をしてくれます。

■種別の変更を女性の場合で見てみよう！

変更の原因	変更後の種別
20歳になったとき （20歳前に就職して厚生年金に加入している場合は、第2号被保険者になっているので、手続きは不要）	1号（新規加入）
就職したとき	1号または3号 ⇒ 2号
結婚して専業主婦になったとき	1号または2号 ⇒ 3号
退職して自営業者になるとき	2号 ⇒ 1号
退職して専業主婦になったとき	2号 ⇒ 3号
会社員の夫が自営業者になったとき	3号 ⇒ 1号
会社員の夫が退職したとき	3号 ⇒ 1号
離婚をしたとき	3号 ⇒ 1号

hint 受給資格期間が10年になったことによる影響

左ページで説明したように、「65歳以上で老齢年金の受給資格期間を満たしていない厚生年金保険加入者」に扶養されている配偶者は、60歳になるまでは、国民年金の第3号被保険者です。
平成29年8月に老齢年金の受給資格期間が10年に短縮されました。これにより、この「厚生年金保険加入者」が受給資格を満たすようになったとき、配偶者は第3号被保険者ではなくなります。そのため、自分で届出をして第1号被保険者へ種別変更をし、保険料を納める必要があります。

第2章 国民年金の基礎と保険料

第3号被保険者の届出

専業主婦（夫）は無料で加入できる

やむをえない理由があれば2年を超えて届出できる

第3号被保険者（サラリーマンの妻・夫）なのに届出をせずにいると、その間は保険料未納期間となってしまいます。

過去に第3号被保険者として届出をしていない期間がある場合、さかのぼって届出することができるのは、本来は2年前までです。しかし、2年を超えてさかのぼり、届出することができる特例があります。

①昭和61年4月～平成17年3月
　今からでも手続きをすれば、さかのぼって加入できます。
②平成17年4月以降
　やむをえない理由で届出をしていない場合のみ届出ができます（→次ページ）。

第3号被保険者の特例は、老齢基礎年金をもらっている人も届出ができるので、その結果受け取る年金の額が増えます。

また、65歳以上で老齢年金を受け取るのに必要な加入期間を満たしていない人も、特例の届出ができます。この届出により、加入期間が満たされる場合は、老齢年金がもらえるようになります。

加入は配偶者の勤務先を通じて手続きできる

第3号被保険者が加入する時は、配偶者の勤務先を経由して届出をします。

年金の手続きでは、今後、マイナンバー記載の拡大が予定されており、これにより添付書類の省略ができます。

第3号被保険者関係届では、扶養家族の続柄を確認するため、戸籍謄（抄）本または住民票を添付する必要がありますが、次の2つの要件を満たせば省略することもできます。
① マイナンバーを記載する
　会社は、マイナンバーカードでマイナンバー・身元確認を行います。
② 会社が次ページ様式の「続柄確認済み」の□にチェックを入れる（Ⓘ欄）。

この他、扶養家族の収入が所得税法上の扶養であることを会社が確認した場合は、ⓒ欄に○印を記載することで添付書類を省略することができます。

記載しない場合は、収入が確認できる書類を会社から日本年金機構に提出する必要があります。課税証明書や失業保険の受取額がわかる通知書などです。

 平成30年10月からは本文のとおり、戸籍謄本等を添付またはマイナンバーを記載する必要があり、扶養家族認定が厳しくなっています。マイナンバ

やむをえない理由例

第3号被保険者	第2号被保険者	第3号被保険者
▲ パートとして就職		▲ 退職
会社は社会保険に加入手続をしたが、本人は知らされず		本人はずっと3号のままと誤解。届出をしなかった

健康保険被扶養者(異動)・第3号被保険者関係届の書き方

ⓐ この用紙で健康保険と第3号被保険者の両方手続きできます。
ⓑ 事業主が記載します。
ⓒ 被扶養者の収入要件を事業主が確認したとき○をします。この場合、添付書類を省略できます。
ⓓ 会社等で働いている人を記載します。
ⓔ 今後1年間の年収見込み額を記載します。
ⓕ マイナンバーまたは基礎年金番号を記載します(マイナンバーを記載すれば添付書類省略可)。
ⓖ 第3号被保険者(扶養されている人)を記載します。
ⓗ チェックをします。
ⓘ 被扶養者(第3号被保険者)になったときは「該当」、被扶養者でなくなったときは「非該当」を○で囲みます。
ⓙ 該当する理由に○をします。
ⓚ 今後1年間の年収見込み額を記載します。年金、失業保険も含みます。その場合は、受取額が確認できる書類を添付し、⑮備考に記載します。
ⓛ 会社がチェックを入れます。

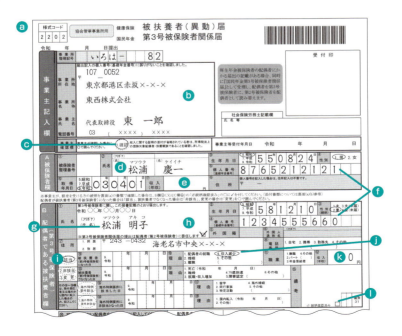

一制度が導入され、行政間の情報が共有されるようになったため、日本年金機構で収入を確認することが容易になっています。

保険料免除・納付猶予制度①

失業したら免除してもらう

免除の範囲は意外に広い

　国民年金には、保険料を払うのが困難な人のために、届出や申請をして保険料が免除される制度があります。この制度は、第1号被保険者（自営業者や無職、フリーターなど）にのみ適用されます。

　保険料免除制度は、**加入期間として計算されるだけでなく、保険料の一部を払ったことにしてくれる**（→45ページ）とてもおトクな制度です。

①法定免除

　届出をすることにより、保険料が全額免除されます。次のいずれかにあてはまる人が法定免除の対象です。

ア）生活保護法の生活扶助を受けている人。
イ）障害年金（1・2級）をもらっている人。

②申請免除

　申請をし、認められることにより、保険料が全額または一部免除されます。次の人が申請免除の対象です。

ア）生活保護法の生活扶助以外の扶助を受けている人。
イ）障害者または寡婦、寡夫、未婚のひとり親で所得が135万円以下の人　未婚のひとり親と寡夫は2021年4月から対象になっています。
ウ）経済的な事情で保険料の支払いが困難な人。

収入は世帯全体で見る

　上記ウ）経済的な事情による申請免除の場合は、所得の制限があります。この場合の所得制限は、本人だけでなく、配偶者や世帯主も見て判断します。このうち誰か1人でも所得が多い場合は、免除されません。

　ただし、**失業した場合は特例があり、本人の所得を除外して、配偶者・世帯主の所得だけで判断されます**。申請する年度または前年度において退職した人が対象です。この場合、雇用保険受給資格者証か離職票が必要です。事業主の事業の休止、廃止も対象になります。

　また、**震災や火災などによって財産のおおむね2分の1以上の損害**を受けた場合（損害保険などの給付を受けた分は除く）も同様の特例があります。

　これらの申請は、住所登録をしている市区町村役場の国民年金窓口で行います。

 未婚のひとり親■「単身児童扶養者」であり、「児童扶養手当を受けている子と生計同一の父または母のうち、未婚の者または配偶者の生死が不明

免除・猶予制度を受けるには？

名称	免除割合	対象者の概要	判断される所得対象者	次の年も免除・猶予制度を受ける方法
法定免除	全額免除	障害者や生活扶助を受けている	—	1回の届出により、法定免除の理由に該当しなくなる時まで有効
申請免除	全額免除	所得が一定額以下または失業中などで支払いが困難	本人、配偶者、世帯主	あらかじめ申請することにより、毎年の申請が免除される（失業による場合は次の年も申請が必要）
申請免除	4分の3免除 半額免除 4分の1免除	所得が一定額以下または失業中などで支払いが困難	本人、配偶者、世帯主	次の年も申請が必要
学生納付特例	全額免除	20歳以上の学生で所得が一定額以下	本人のみ	次の年も申請が必要
納付猶予制度	全額免除	50歳未満で本人、配偶者の所得が一定額以下	本人、配偶者	あらかじめ申請することにより、毎年の申請が免除される

※学生は申請免除を選択することはできない。また、任意加入者は対象外。

hint: DVによる別居のケース

配偶者からの暴力（DV）により配偶者と別居している人は、本人の所得が一定以下であれば免除制度の対象となる制度ができました。2年前までの過去分も対象になります。

さまざまなケースで免除されるので、あてはまらないかチェックしてみましょう。手続きは郵送でもできます。

hint: 保険料免除・納付猶予どっちがトク？

前年所得（1月〜6月の申請では、前々年所得）が一定以下の場合、免除制度と納付猶予制度のどちらを使うのが適切でしょうか？ 違いをまとめたので、参考にしてください。

名称	所得を判断される対象者	老齢基礎年金への反映	例
申請免除	本人、配偶者、世帯主	一部反映される	・失業したとき ・事業を廃止したとき ・震災や火災などで損失があったとき
納付猶予	本人、配偶者	反映されない	・パート、アルバイトなどで収入が低いとき

な者」をいいます。

保険料免除・納付猶予制度②

学生、50歳未満、産前産後は特例がある

年金手帳

学生、50歳未満の人は猶予される

前ページの他、第1号被保険者（自営業者、無職、フリーターなど）が申請をすることで支払いが猶予される制度があります（納付猶予制度）。

①**学生納付特例制度**

20歳以上の学生は本人の所得が一定額（半額免除基準）以下の場合に、保険料の支払いが猶予されます。家族の所得は関係ありません。

②**納付猶予制度**

50歳未満の人で本人および配偶者の所得が一定額（全額免除基準）以下のとき、申請することで保険料の納付が猶予されます（2030年6月までの特例）。

学生納付特例制度と納付猶予制度の猶予された期間は、老齢基礎年金をもらうのに必要な加入期間には含まれますが、年金額には含まれません。

免除される期間は4月・7月から

保険料が免除・猶予される期間は、それぞれ異なります。

①**法定免除**

免除の対象となる理由に該当するようになった月の前月から該当しなくなる月まで免除されます。

②**申請免除、納付猶予制度**

申請した月の直前の7月から翌年6月まで免除されます。ただし、平成26年4月からは、2年前までさかのぼることができるようになりました。

③**学生納付特例制度**

申請した月の直前の4月から翌年3月まで免除されます。

産前産後も免除される

平成31年4月からは、産前産後期間も免除されるようになりました。

免除される期間は、出産予定日の前月から4か月間です（多胎妊娠の場合は、3か月前から6か月間）。

実際に出産した日が予定日と異なっても、免除期間は変更されません。ただし、免除の届出が出産日以降にされた場合は、「出産予定日」を「出産日」と読み替えます。

免除期間は、「保険料を納めた期間」として扱われます。

 学生というのは、大学、大学院、短期大学、高校、高等専門学校、専門学校等（修業年限1年以上）の学生で夜間や定時制、通信も含まれます。

所得の上限のめやす

前年の所得（1月～6月は前々年の所得。学生納付特例制度のみ1～3月は前々年の所得）がこの額以下であるときが免除の目安となっている（子は20歳、17歳の例で表示）。

		単身世帯	2人世帯（夫婦のみ）	標準世帯（夫婦と子2人）
申請免除	全額免除	67万円	102万円	172万円
	4分の3免除	88万円	126万円	227万円
	半額免除	128万円	166万円	267万円
	4分の1免除	168万円	206万円	307万円
学生納付特例制度		128万円	166万円	267万円
納付猶予制度		67万円	102万円	172万円

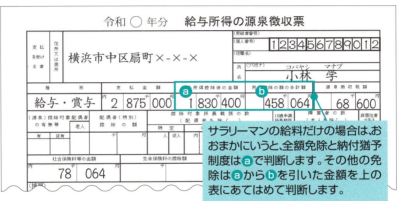

サラリーマンの給料だけの場合は、おおまかにいうと、全額免除と納付猶予制度はⓐで判断します。その他の免除はⓐからⓑを引いた金額を上の表にあてはめて判断します。

免除される期間

所得は、前年のものをもとに判断し、1月～6月の保険料は前々年の所得をもとに判断する（学生納付特例は、1月～3月の保険料を前々年の所得で見る）。

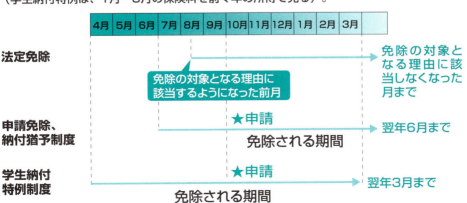

追納制度

免除された保険料は10年以内に払う

年金手帳

3年以内に払えばペナルティはない

免除された期間の保険料は、**10年以内に後から支払うことができます**。この制度を「追納制度」といいます。

法定免除、申請免除の期間は、保険料が免除されるだけでなく、一定の割合で老齢基礎年金に反映されます（→次ページ）。ただし、全額免除でなければ、免除された残りの分の保険料は納付しなければなりません。

追納のときの保険料は、当時の保険料と同じ額というわけにはいきません。3年以上経過した期間の保険料を追納する場合、免除された当時の保険料に一定の加算額が上乗せされます。

納付猶予制度は追納しなければ年金額に反映されない

学生納付特例制度、納付猶予制度の場合は、あくまでも保険料の支払いを猶予されているだけなので、**猶予された期間の保険料を後から納めないと年金額にはまったく含まれません**。

ただし、猶予期間は老齢基礎年金をもらうのに必要な加入期間（→70ページ）には含まれます。

追納には順番がある

追納には次のような順番があります。
①学生納付特例制度を支払う。
②法定免除・申請免除を支払う。

法定免除と申請免除については、先に経過した月の分から順次納付します。

ただし、学生納付特例制度の期間より前に法定免除・申請免除があるときは、学生納付特例制度から支払っても、法定免除・申請免除から支払ってもかまいません。

滞納（未納）でも2年は払うことができる

滞納した場合でも、2年間はさかのぼって払うことで年金の加入期間を増やし、年金額を増額することができます。なぜなら、保険料を支払うことができる時効は、2年と決まっているからです。

放っておいて、まったく払っていなかった「滞納分」と、免除申請をして払っていなかった分とでは、後から支払う「さかのぼり期間」も違ってきます。

 保険料の追納をするには国民年金保険料追納申込書とマイナンバーカードを年金事務所に提出します。その後、納付書が発行され、保険料を支払い

老齢基礎年金額に反映される割合（追納をしなかったとき）

免除された期間は、表の割合で老齢基礎年金額に反映されます。

> 年金支給のうちの税金負担の割合が変わったので、反映される割合も変わりました。

	免除の種類	平成21年3月までの期間	平成21年4月からの期間
	法定免除	3分の1	2分の1
申請免除	全額免除	3分の1	2分の1
	4分の3免除	2分の1	8分の5
	半額免除	3分の2	4分の3
	4分の1免除	6分の5	8分の7
	学生納付特例制度	年金額に反映されない	年金額に反映されない
	納付猶予制度	年金額に反映されない	年金額に反映されない

※平成21年4月分より税金の割合が3分の1から2分の1に引き上げられた。

■追納のときの保険料

2024年度中（2025年3月まで）に追納する場合

> 10年を超えた期間は追納できません。

	半額免除	全額免除
平成26年度	7,730円	15,460円
平成27年度	7,890円	15,790円
平成28年度	8,230円	16,460円
平成29年度	8,330円	16,670円
平成30年度	8,250円	16,500円
令和 元 年度	8,270円	16,560円
令和 2 年度	8,340円	16,670円
令和 3 年度	8,350円	16,710円
令和 4 年度	8,290円	16,590円
令和 5 年度	8,260円	16,520円

3年を超えると一定額が加算されている。

ます。

国民年金保険料・前納制度

2年で最大約16,000円節約できる

保険料は毎年4月に改定される

国民年金の保険料を自分で納付するのは自営業者や無職などの第1号被保険者だけです。第2号被保険者の保険料は、勤務先からまとめて支払います。第3号被保険者の保険料はいりません。

毎年4月に改定され、2024年度の保険料は、月額16,980円です。

毎月の保険料は翌月払いとなっており、**翌月の末日までに納めなければなりません**。銀行・ゆうちょ銀行などの金融機関や年金事務所、また、コンビニやクレジットカードでも保険料を支払うことができます。口座振替も可能で、毎月翌月末日に引き落とされます。

まとめて払えば節約できる

保険料が割り引かれる「前納割引制度」があります。現金での支払いと口座振替の2種類があります。
①現金での前納割引制度

1年分（4月〜翌年3月）の前納と6か月分（4月〜9月、10月〜翌年3月）の前納があります。

クレジットカードでの前納は現金と同じ保険料になります。
ア）1年分と4月〜9月の6か月分前納は毎年4月末までに支払います。
イ）10月〜翌年3月分は10月末までに支払います。

このほか、自分が選択した月から年度末まで前納することも可能です。
②口座振替での前納割引制度

6か月前納、1年前納に加えて、2年前納の制度があります。

期間が長いほうが割引率が高く設定されており、2年前納なら、毎月納めるよりも、2年で最大16,590円の節約ができます（→次ページ）。

平成26年4月から法改正され、前納した後に、免除（→40ページ）の要件に該当するようになったときは、それ以後の保険料が還付されるようになりました。

このほか、口座振替では、毎月の「早割」という制度もあります。これは、毎月の納付期限より1か月早く口座振替され、月に60円割引きされます。本来は翌月に納めますが、早割の場合は、その月に納めます。

 2年分を前納した場合の社会保険料は、次のいずれかを選択して所得税控除を受けることができます。①納めた年②各年分を各年に控除

国民年金保険料

収入などによる違いはなく、定額です。

2024年度 （2024年4月～ 2025年3月）	16,980円

■口座振替の振替日

対象期間	申込締切日	振替日
2年分（4月～翌々年3月分）	毎年2月末日	4月末日
1年分（4月～翌年3月分）	毎年2月末日	4月末日
4月～9月の6か月分	毎年2月末日	4月末日
10月～翌年3月の6か月分	毎年8月末日	10月末日

前納割引制度、どれが得？

■1年分で比較！

通常は　16,980円／月×12か月＝203,760円

	1年分の保険料	割引額は？
通常	203,760円	―
口座振替での前納	199,490円	1年分で4,270円割引
現金での前納	200,140円	1年分で3,620円割引

■2年分で比較！

通常は　17,510円／月×12か月＝210,120円（2025年度）
　　　　16,980円／月×12か月＝203,760円（2024年度）

	2年分の保険料	割引額は？
通常	413,880円	―
口座振替での前納	397,290円	2年分で16,590円割引
現金での前納	398,590円	2年分で15,290円割引

口座振替での2年前納が16,590円お得!

第2章　国民年金の基礎と保険料

国民年金基金には税の優遇がある

■国民年金のみに加入している人の上乗せ年金

自営業者が老後の資金として準備する方法の1つに国民年金基金があります。

国民年金基金は、国民年金の第1号被保険者を対象とした年金制度です。厚生年金などに加入しているサラリーマンとの年金額の差を解消するために平成3年に創設されました。

第1号被保険者で保険料を納めている人が加入することができるもので、保険料免除制度や猶予制度を受けている人は加入できません。

■国民年金基金は2種類ある

国民年金基金には、47の都道府県に設立された「地域型基金」と25の職種別に設立された「職能型基金」の2種類があります。

地域型基金に加入できるのは、その都道府県に住所がある人です。職能型基金に加入できるのは、各職種別の基金ごとに定められた事業または業務に従事する人です。医師、歯科医師、個人タクシーなどがあります。

いずれか1つの基金にしか加入できないので、本人の希望で選択します。任意で加入できますが、**一度加入すると任意に脱退することはできません**。また、途中で他の国民年金基金へ変更することもできません。

ただし、会社に勤め始めたなど、国民年金の第1号被保険者でなくなった場合は加入資格を喪失することになります。

■老後に備える

国民年金基金の大きなメリットは、税の優遇があることです。**掛け金の全額が控除されるので、所得税、住民税が安くなります**（→150ページ）。一般の個人年金（生命保険）の場合は最大で4万円であることと比べ、有利です。

国民年金基金から受け取ることができるのは、老齢年金と遺族一時金です。自分で選択した口数と掛金を支払った期間に応じて年金がもらえます。

国民年金基金へ加入するときは、希望する国民年金基金へ申し込みます。

地域型の場合は、各都道府県の国民年金基金に申し込みます（下記フリーダイヤル）。

フリーダイヤル
0120-65-4192

第3章

厚生年金の基礎と保険料

- 夫の職業による違いは大きい　50
- 転職したらすき間がないよう注意する　52
- サラリーマンは全員厚生年金というわけではない　54
- 規模により加入要件は異なる　56
- 保険料は会社が半分負担する　58
- 出産・育児休業はメリットがいっぱい　60
- 働いて加入期間を増やす　62
- 在留見込み期間が5年以内は年金加入が免除される　64
- 請求した期間は加入期間とみなされない　66

厚生年金の損得

夫の職業による違いは大きい

厚生年金は夫死亡時の生命保険と考える

厚生年金は、保険料が高い割に老後にもらえる年金が少ないため、損と考える人は多いようです。確かに、払ったものに対するリターンを考えると得とはいえないかもしれません。

しかし、厚生年金からもらえるものは、老後の年金だけではありません。障害者になったときや亡くなったときの給付は、**国民年金よりもかなり手厚い**ことを知っておかなければなりません。

国民年金の遺族年金（遺族基礎年金）は、子どもが小さい間は手厚いのですが、子どもが高校を卒業すると保障はなくなります（詳しくは第5章）。

その点、厚生年金に加入していると、子どもが高校を卒業しても、**配偶者は死ぬまで遺族年金（遺族厚生年金）を受け取る**ことができます。子どもが高校を卒業するまでは、遺族基礎年金と遺族厚生年金を両方受け取れます。

ただし、配偶者が30歳未満の場合には5年しかもらえないなど、年金をもらうための要件があります（→174ページ）。

25年加入の最低保障がある

自営業者とサラリーマンでは、亡くなったときに遺族がもらう年金額に大きな差が出ます。

厚生年金から受け取る年金の額は、払ってきた保険料と加入期間の長さに応じて計算されます。入社後すぐに亡くなったとすると、実際の加入期間は数か月ですが、**25年加入したものとして計算**されます。

遺族年金としてもらえる分は、夫に掛ける保険が少なくてすむと考えると、一概に高いとはいえません。

国民年金や厚生年金は節税効果もある

さらに、国民年金や厚生年金には、節税効果もあります。これらの保険料は、全額が収入から控除されます。そのため、支払った額の約15～55％が返ってきます（収入によって税率が異なる）。

また、障害を負ってしまったときでも、国民年金からもらえない、軽度の障害でも給付される制度や配偶者の家族手当（加給年金）があります。

 国民年金の保険料について社会保険料控除を受ける場合、年末調整や確定申告のとき、納付したことを証明する書類（控除証明書や領収書）を申告

国民年金と厚生年金の受取り年金額（概要）

	国民年金	厚生年金（国民年金との違い）
老齢	●毎年816,000円 　　（813,700円）	●払ってきた保険料と加入期間の長さに応じて計算される。 ●国民年金に上乗せされる。
障害の状態になったとき	●1級障害は1,020,000円 　　（1,017,125円） ●2級障害は816,000円 　　（813,700円）	●障害の程度は1級、2級に加えて、3級、障害手当金もあり、国民年金よりも範囲が広い。 ●払ってきた保険料と加入期間の長さに応じて計算される（25年の最低保障あり）。 ●国民年金に上乗せされる。
死亡したとき	●816,000円（813,700円） ＋子1人 あたり234,800円 （子3人目以降78,300円） （原則「高校卒業までの子のいる配偶者」または「高校卒業までの子」に支給される）。	●妻（夫）がもらえる場合は、原則として妻（夫）が死ぬまでもらえる。 ●掛けてきた保険料と加入期間の長さに応じて計算される（25年の最低保障あり）。 ●国民年金に上乗せされる。

※カッコ内は受け取る人が昭和31年4月1日以前生まれの方。

自営業の夫が亡くなったときは国民年金のみですが、
サラリーマンの夫が亡くなったときは（厚生年金＋国民年金）がもらえます。

ケース1 自営業の夫が亡くなったとき（第1号被保険者）
死亡当時　妻45歳　子15歳、12歳のとき

ケース2 サラリーマンの夫が亡くなったとき（第2号被保険者）
死亡当時　妻45歳　子15歳、12歳のとき

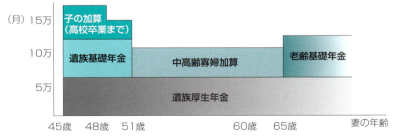

書に添付することが義務付けられています。

厚生年金の加入

転職したらすき間がないよう注意する

年金加入は月単位

年金加入の期間（被保険者期間という）は、月単位で計算します。月の途中で種別変更や加入の手続きをしても、1か月分の保険料を支払います。このとき、被保険者期間も1か月として計算します。

種別を変更したときは、後の種別として計算します。

月末退職は保険料がかかる

サラリーマンやOLなどの場合は、
①入社月は月の途中でも1か月でカウントします。
②途中で退職した月はカウントしません（ただし、**月末退職は1か月でカウントする**）。
③入社した月に退職した場合は1か月でカウントします。1か月でカウントする月の保険料は、日割り計算などせず1か月分が必要です。

ただし、③については改正され、その月に厚生年金または国民年金の被保険者になった場合は、先に喪失したほうの厚生年金保険料を支払わないことになりました（平成27年10月以降）。

健康保険料、介護保険料は原則どおり1か月分必要です。

転職するときはすき間に注意

サラリーマン、公務員などが転職したら、次の就職先とのすき間がないかどうか注意が必要です。

1か月でも空いている場合は、市区町村の国民年金係で第1号被保険者としての手続きをしておかなければ未納期間となります（→次ページ）。

未納期間があることで、障害年金や遺族年金をもらうことができない場合があるので、注意が必要です。

また、本来は入社日で手続きをするものですが、試用期間明けの日付で手続きをしているような会社も要注意です。

未納期間は2年前までさかのぼって保険料を支払うことができます。それを超えると本来は未納のままとなります。

サラリーマンの夫（妻）が転職して未納期間ができれば、妻（夫）も未納期間になります。

 同じ月において、入社して退職し数日後に再就職したなど、2回以上の被保険者の種別の変更があったときは、その月は最後の種別の被保険者であ

保険加入のしくみ（サラリーマンの場合）

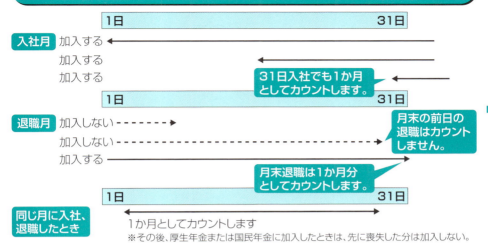

■転職のときのすき間に気をつけよう

ケース1　9月30日に退職、そして1日も空けることなく10月1日に再就職した場合

引き続き第2号被保険者です。勤務先が手続きをしてくれます。

第2号被保険者	第2号被保険者
9月まで保険加入	10月から保険加入

▼10/1

ケース2　9月25日に退職、同じ月の9月30日に再就職した場合

9/25▼　　▼9/30

第2号被保険者	第2号被保険者
8月まで保険加入（途中退職の月は前月まで加入）	9月から保険加入

前の会社では8月末まで加入となり、9月30日の再就職で9月に加入（1か月カウント）したことになります。

ケース3　9月25日に退職、10月1日に再就職した場合

9/25▼　　▼10/1

第2号被保険者	第1号被保険者	第2号被保険者
8月まで保険加入（途中退職の月は前月まで加入）		10月から保険加入

9月はどちらの会社でも加入しないため、自分で手続きをして国民年金の保険料を支払わないと未納期間になります。扶養されている妻（夫）がいるときは、妻（夫）も手続きをした上で、国民年金の保険料を支払わなければなりません。

ったとみなします。

厚生年金適用事業所

サラリーマンは全員厚生年金というわけではない

5人未満の個人経営の会社は加入しない

　サラリーマンは厚生年金に加入すると説明しましたが、サラリーマン全員が厚生年金に加入するわけではありません。

　サラリーマンが厚生年金に加入するには、勤務先の会社が厚生年金に加入していることが大前提になります。

　加入している会社を「適用事業所」といいます。法律上、法人（株式会社など）は、「1人」でも厚生年金に加入することになっています。ここでいう「1人」は、従業員に限らず、社長も含まれます。つまり、**法人の場合は、社長1人でも加入する**ということになります。

　また、5人以上の労働者がいる個人経営の会社も加入することになっています。ただし、飲食業などのサービス業などで個人経営の場合は5人以上でも加入しません（→次ページ）。

法人加入には手続きが必要

　厚生年金への加入は、自動的に行われるのではなく、会社が「適用事業所」としての手続きをしなければ加入できません。**法人（株式会社）だから「適用事業所」とは限らない**のです。

厚生年金は健康保険と1セット

　厚生年金に加入する場合は、健康保険（介護保険を含む）と1セットです。原則としてどちらか一方だけの加入はありません。ただし、医師国保など国保組合と厚生年金という組み合わせもあります。

　つまり、次のいずれかの組み合わせで加入することになります。
①厚生年金と健康保険
②厚生年金と国保組合
③国民年金と国民健康保険（どちらも市区町村で申し込む）
④年収130万円未満の場合は配偶者の扶養家族として国民年金と健康保険

　ちなみに、健康保険（介護保険を含む）と厚生年金のことを「社会保険」といいます。

　雇用保険の制度はあっても社会保険の制度がない会社があるので、就職する際には、求人票などで確認しておくほうがいいでしょう。

 国保組合（国民健康保険組合）■建設業・医師・薬剤師・理容美容業などの同業者が集まって設立され、現在、全国に100種類以上の国民健康保険

法律上の適用事業所（○印が適用事業所）

	法人（株式会社、有限会社など）、国・地方公共団体	個人経営	
①一般の事業所（②を除く）	○	5人以上	○
		5人未満	×
②飲食業 サービス業 宗教団体 農林畜水産業など	○	×	

サラリーマンが加入する年金制度

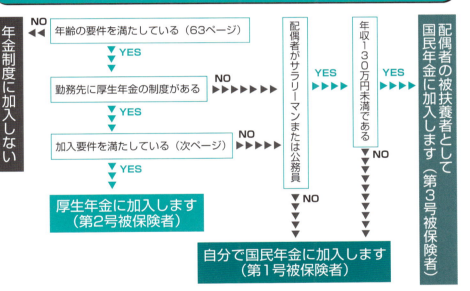

hint　労働者の同意を得れば適用事業所になれる

法律では適用事業所であるにもかかわらず、現実に適用事業所になっていない会社があることが問題になり、最近は加入促進が強化されています。
一方、加入が義務づけられていない会社でも、労働者の半数以上の同意を得て厚生労働大臣の認可を受けることによって、適用事業所になることもできます（任意適用事業所という：被保険者の4分の3以上の同意があれば脱退することができる）。

組合があります。組合員とその家族が被保険者となります。

厚生年金パートの加入要件

規模により加入要件は異なる

4か月以内の季節労働者は加入しない

　厚生年金の制度に加入している会社に就職したからといって、厚生年金に加入するとは限りません。
　次のいずれかにあてはまる人は、厚生年金に加入できません。
（1）パートなど労働時間が少ない人。
（2）2か月以内の期間雇用者など、「加入しない者」（→次ページ）。
（3）70歳以上の人（→63ページ）。

100人超の会社等では週20時間以上

　パートタイマーは、次の要件のいずれにもあてはまれば、加入できます。
①週所定労働時間が20時間以上
②2か月を超えて雇用の見込み（2022年10月に改定された。それまでは1年以上の雇用の見込み）
③賃金月額が88,000円以上
④昼間学生でないこと
　現在この要件は、「厚生年金被保険者が常時100人超の会社と、規模にかかわらず国・地方公共団体」だけが対象です。

50人超に拡大される

　100人以下の会社等で働くパートの場合、対象者の2分の1以上と事業主が合意し、会社が手続きすれば、同様の要件で加入できます。
　ただし、これにより会社が加入した場合、要件を満たしたパートは、本人の希望にかかわらず、対象者全員加入することになります。
　「対象者の2分の1以上の合意」は、厚生年金に加入している人と、加入要件を満たす人でカウントします。
　100人以下の会社等で、労使の合意が得られず、手続きをしていない会社で働くパートは、これまでどおり、
● 1週間の所定労働時間
● 1か月の所定労働日数
の両方が通常の労働者の4分の3以上（一般的には週30時間以上）であれば加入することとされています。
　ここでいう「100人超」は、2022年10月に法改正によって大幅に拡大されました。2024年10月からは常時50人超になる予定です。

 加入要件を満たすのに加入しないでいると、調査で判明すれば最大2年前まで遡及加入することになります。この場合、保険料も過去に遡り徴収さ

賃金月額88,000円に残業代は含まない

加入要件である「賃金月額88,000円以上」は、基本給と諸手当で判定します。ただし、次のものは含みません。
- 臨時に支払われる賃金（結婚手当等）
- 1か月を超える期間ごとに支払われる賃金（賞与等）
- 時間外、休日、深夜割増賃金
- 最低賃金に算入しないと定められる賃金（精皆勤手当、通勤手当、家族手当）

また、週所定労働時間には臨時に生じた残業時間等も含みません。ただし、実務としては、実労働時間が2か月連続で週20時間以上となり、なお引き続くと見込まれる場合には3か月目から加入することになっています。

パートの加入要件

● 100人超※1 ● 規模にかかわらず国・地方公共団体	次の要件を満たす人 ①週所定労働時間が20時間以上 ②2か月を超えて雇用の見込み ③賃金月額88,000円以上 ④昼間学生でない	
100人以下※1	2分の1以上※2と事業主の合意があり、手続きしたとき	手続きしていないとき（原則どおり）
	次の要件を満たす人 ①週所定労働時間が20時間以上 ②2か月を超えて雇用の見込み ③賃金月額88,000円以上 ④昼間学生でない	次の要件を満たす人 ①1週間の所定労働時間が社員の4分の3 ②1か月所定労働日数が社員の4分の3

※1：2024年10月からは50人超。
※2：「2分の1以上」は、「厚生年金の被保険者と加入要件を満たす人」の人数で計算する。

■社会保険に加入しない者

①日雇い（1か月を超えた場合を除く）
②2か月以内の期間雇用者（所定の期間を超えた場合を除く）※
③季節的な雇用で4か月以内の期間雇用者　例：○○博覧会
④臨時的な事業で6か月以内の期間雇用者　例：建設現場
⑤所在地が一定しない事業　例：サーカス
※更新見込みの人は最初から加入

れます。

厚生年金保険料

保険料は会社が半分負担する

保険料額表にあてはめる

毎月支払う厚生年金保険料は、社会保険（厚生年金）に加入したときに、決定します。

その方法は、

① 給料をもとに、「厚生年金保険料額表」（→250ページ）にあてはめて、「標準報酬月額」を決めます。ここでいう給料は、基本給だけでなく、通勤手当や残業代その他の手当を含みます。通勤手当が高い人ほど保険料は高くなります。

② 「標準報酬月額」をもとに、「折半額」に記載されている金額が本人の負担する保険料です。

会社は同額を負担し、天引き分とあわせて、日本年金機構に支払います。

保険料は、翌月払いが原則となっています。毎月の保険料も翌月に天引きされ、支払われます。

保険料は、扶養家族の人数が多くても少なくても変わりません。

第3号被保険者である配偶者を扶養している場合でも、上乗せされるわけではありません。

4、5、6月の給料をもとに1年間の保険料が決まる

一度決めた「標準報酬月額」は、次の改定があるまで、原則として変わりません。

毎月の保険料は、**毎年4、5、6月に支払われた給料をもとに計算をしなおす**ことに決まっています（定時決定）。

この時期にたまたま残業が多かったとしても、多いままの金額を平均して、9月からの1年間の標準報酬月額となります（給料からの天引きは翌月の10月から）。

ただし、前年7月から当年6月の1年を平均して算出した標準報酬月額と、2等級以上の差があるときで、この差が例年発生することが見込まれる場合は、手続きをすれば**1年を平均したものをもとに計算する特例**があります。

昇給や降給があれば保険料が改定される

昇給があった場合や家族手当が増えた場合など、報酬の額が大きく変わった場合には、定時決定を待たずに標準報酬月額を改定します（随時改定）。

たとえば、1月に昇給した場合は、1、

　固定的な賃金■固定的な賃金とは、月単位などで支給額が決まっているものをいい、基本給、通勤手当、家族手当、住宅手当、役職手当などが該当

2、3月の給料を平均して、4月から改定されます（給料天引きは翌月から）。次の要件にあてはまる場合に限ります。

①固定的な賃金に変動があったとき
　残業の増減は固定的な賃金ではないため、改定の対象にはなりません。

②改定月から3か月間の給料を平均して計算した標準報酬月額が現在と比較して原則2等級以上の差があるとき
　固定給が下がったのに残業代が多かったために標準報酬月額が上がる場合などは対象になりません。

③3か月とも出勤日数が17日以上あるとき
　短時間労働者（→56ページ）の場合は11日以上です。

保険料の流れ（例:4月分の保険料の支払い）

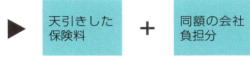

■厚生年金保険の保険料の計算方法（定時決定の計算例）

	基本給	通勤手当	残業代	合計
4月	200,000円	10,000円	20,000円	230,000円
5月	200,000円	10,000円	30,000円	240,000円
6月	200,000円	10,000円	10,000円	220,000円

4月～6月の給料の総額を平均する

（230,000円＋240,000円＋220,000円）÷3か月＝230,000円

厚生年金保険料額表（→250ページ）にあてはめる

標準報酬月額		厚生年金保険料	
		全額	折半額※
240,000	230,000～250,000	43,920	21,960

※給料から天引きするときは、円未満を五捨六入する。

この例では、9月から（天引きは10月から）会社と労働者が21,960円ずつ負担する。

※厚生年金基金に加入している会社は、各基金の表にあてはめる。

します。残業手当や宿直手当など変動するものは含まれません。

出産・育児休業の特例

出産・育児休業はメリットがいっぱい

労使とも保険料が免除される

　少子化の影響で、産前産後休業や育児休業中はさまざまな優遇制度が用意されています。

　休業中の給料の保障として、健康保険やハローワークから給付金をもらえる他、産前産後休業中・育児休業中の社会保険料（健康保険料・厚生年金保険料）が免除されます。免除は、本人だけでなく、会社も対象になります。

　免除される期間は、産前産後休業を開始した月から職場復帰の前月までで、最長で子が3歳になるまでです。**免除された期間は、保険料を払ったものとして年金は計算されます。**

　この制度は、育児休業を取得しても年金が減らないように、という趣旨でできました。

　また、産前産後休業中は、健康保険から「標準報酬月額÷30」の3分の2が「出産手当金」としてもらえます。この場合の標準報酬月額は、平成28年4月1日以降は支給開始日以前の1年間を平均して算出することになりました。

下がった給料はすぐに保険料に反映される

　産後休業・育児休業から職場復帰して、短時間勤務をするなどによって給料が下がることがあります。

　この場合、会社を経由して届出をすれば、下がった月から3か月間の給料を平均して標準報酬月額が改定されます（→59ページ）。

　通常、給料が下がったことによる「随時改定」は、
①固定的な給料の変動が原因
②2等級以上の差が生じる
③3か月とも出勤日数が17日以上ある
　（短時間労働者は11日以上）
の3つの要件を満たす必要があります。**しかし、育児休業から復帰したときは1等級の差でも改定されます。**

　なお、3か月間のうち、給料計算の基礎となった日数が17日未満（短時間労働者は11日未満）の月があれば、その月は除いて平均を計算します。

　この制度は育児休業だけでなく、産前産後休業終了時に給料が下がった場合でも使えます。

 産前産後休業・育児休業■産前休業は6週間（多胎妊娠の場合は14週間）、産後休業は8週間の休業期間のことをいいます。育児休業は、申し出るこ

給料が下がっても年金は下がらない

さらに、短時間勤務をするなどで給料が下がった場合、標準報酬月額が下がったにもかかわらず、年金計算上は下がったものとして計算しないという特例があります。

安い保険料を支払いながら、高い保険料を支払ったものとして年金を計算してもらえる、とてもお得な制度です。

この制度は、育児休業を取得したかどうかに関係なく、子が3歳になるまで使えます。

男性でも要件があえば特例の届出ができ、夫婦それぞれが届出することもできます。

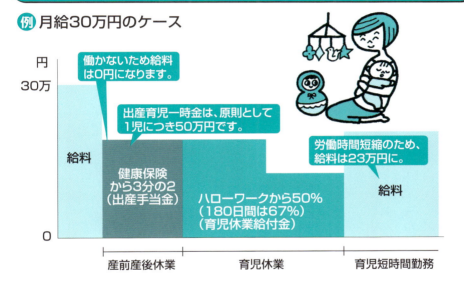

とにより、子が1歳に達するまでの間、取得することができます（一定の要件を満たす場合は子が最長2歳に達するまでの間、取得することができます）。

厚生年金の任意加入

働いて加入期間を増やす

70歳を超えても任意に加入できる

老齢厚生年金を受け取る権利がある人が働いて厚生年金に加入すると、老齢厚生年金が減額されます（在職老齢年金→102ページ）。年金が減額されることだけを捉えると、損をするように感じます。

しかし、働いて厚生年金保険料を払った期間は、**加入期間として計算されると同時に、将来の年金受取額に加算されます。**

人生100年といわれるようになりました。加入期間を増やして老齢基礎年金や老齢厚生年金を増やす方法として、働けるうちは働いて、厚生年金に加入することもできます。

厚生年金には、70歳まで加入できますが、70歳を超えても老齢基礎年金を受給するには加入期間が足りない人は、任意に加入する方法があります（高齢任意加入被保険者→次ページ）。

ただし、老齢基礎年金は40年が最大で、加入してもそれ以上は増えません。

なお、共済年金（私学除く）では、加入要件に年齢制限はありませんでした。一元化により、平成27年10月からは、厚生年金にあわせて統一され、70歳未満とされました。働いていて70歳になったときの手続きは原則不要です（→122ページ）。

適用がない会社でも方法はある

加入期間を増やすことや、老齢年金を増やすことが目的で会社に就職する場合は、会社に年金制度があるかどうかをチェックしておく必要があります。

適用事業所でない会社に就職しても、会社の同意が得られるのであれば、認可を申請して任意加入する方法もあります。しかし、同意を得ることが難しい場合などは、国民年金の任意加入の制度もあるので検討するとよいでしょう（→74ページ）。

 当然被保険者■厚生年金適用事業所に使用される70歳未満の人は、当然に厚生年金の加入者となるため、当然被保険者といいます。会社の代表者や

厚生年金加入と年齢の関係

		下限はない	65歳	70歳
厚生年金部分	適用事業所	加入する	加入する	①加入しない ②老齢年金をもらう権利がない人は任意に加入できる(高齢任意加入被保険者) ※保険料は全額を自分で負担し、自分で納付する(会社が半額負担し、納付することに同意すればこの限りでない)。 ※在職老齢年金のしくみで年金は減額される(→122ページ)
	適用事業所でない	①加入しない ②次の要件をすべて満たす場合は加入することができる(任意単独被保険者) ●会社の同意を得る　かつ ●厚生労働大臣の認可を受ける この場合、会社は半額負担し、納付する義務を負う		①加入しない ②次の要件をすべて満たす場合は加入することができる(高齢任意加入被保険者) ●老齢年金をもらう権利がない ●会社の同意を得る ●厚生労働大臣の認可を受ける この場合、会社は半額負担し、納付する義務を負う
国民年金部分	適用事業所	加入する	加入しない (老齢年金をもらう権利がない人は加入する)	加入しない (高齢任意加入被保険者は加入する)
	適用事業所でない	加入しない 任意単独被保険者は加入する (20歳以上60歳未満は第1号被保険者として加入)	加入しない (老齢年金をもらう権利がない人は任意加入できる(任意単独被保険者は加入する))	加入しない (高齢任意加入被保険者は加入する)

> **hint　2つ以上の会社に勤務する場合**
>
> このページでは、加入期間を満たさない場合などに、任意加入する方法について説明しています。このケースとは逆に、同時に2つ以上の事業所で報酬を受ける人の報酬月額は、それぞれの報酬を合計して計算します。
> 例えばA社で30万円、B社で20万円を受け取っていれば、合計50万円として標準報酬月額を決定します。ただし、事業所が厚生年金の適用事業所であり、自分自身も加入要件を満たしているもの(→56ページ)だけを合計します。
> いくつもの会社を経営している社長などがこれにあてはまります。

役員も会社から労働の対償として報酬を受けていれば、70歳未満の場合、当然被保険者になります。

外国人の年金加入

在留見込み期間が5年以内は年金加入が免除される

社会保障協定により二重加入しなくてよい

国籍に関係なく、日本国内に住所がある人は、日本の年金制度に加入することになっています。しかし、外国人が日本で働く場合、母国の社会保障制度と日本の年金制度に二重に加入することになります。

このとき、日本での加入期間が短く、年金を受給できない外国人は、保険料を無駄に納めることになってしまいます。

このような問題を解決するために、**社会保障協定を結ぶことにより、次の特例が認められる**ようになっています。国によって協定内容は異なるので、日本年金機構のホームページで詳細を確認するほうがいいでしょう（→次ページ）。

① 原則として（日本に在留する見込み期間が5年を超える場合）、日本の年金制度に加入するのみでよい
② 日本に在留する見込み期間が5年以内の場合は、母国に加入するのみでよい

一部の国を除き、他国での加入期間は、通算されます。ただし、脱退一時金を受給した期間は、加入期間にカウントされません。

上記②で、日本の年金制度の免除を受けるためには、次の要件も満たす必要があります。
● 母国の社会保障制度に加入していること
● 母国の事業所との雇用関係が継続していること

ここでは外国から日本に来る場合で説明していますが、日本から外国へ行く場合も同様です。

自営業者も考え方は同じ

自営業者の場合も、考え方は同じです。母国の社会保障制度のみに継続して加入し、日本での加入を免除されるためには、次の要件をすべて満たす必要があります。
● 日本での就労期間が5年以内と見込まれること
● 日本で就労期間中も母国の社会保障制度に加入していること
● 日本において引き続き自営業者として就労していること

日本での加入が免除されない外国人は、厚生年金に加入しないのであれば、国民年金に加入しなければなりません。

 随伴して日本国内に居住する配偶者や子についても、生計維持されているときは、同様に日本の年金制度の加入が免除されます。

社会保障協定による期間通算

■社会保障協定発効前の国の場合
母国の社会保障制度に加入しながら日本の年金制度に加入

| 母国の社会保障制度加入 |

　　　　　　| 日本の年金制度加入 |
　　　　▲　　　　　　　　　　　▲
　　日本へ入国　　　　　　　　帰国

■社会保障協定がある国の場合　※国により異なるので各国の協定を確認すること。
①原則
日本の年金制度のみ加入する。日本での加入期間は母国の社会保障加入期間に合算される。

| 母国の社会保障制度加入 |　　　　　| 母国の社会保障制度加入 |

　　　　　　| 日本の年金制度加入 |
　　　　▲　　　　　　　▲
　　日本へ入国　　　　　　　　帰国

②日本の在留期間が5年以内と見込まれるとき
引き続き母国の社会保障制度のみに加入し、日本の年金制度の加入は免除される。

| 母国の社会保障制度加入 |

　　　　　　| 日本の年金制度加入免除 |
　　　　▲　　　　　　　▲
　　日本へ入国　　　　　　　　帰国

---

hint　外国人を雇うときは、その国の協定を確認する

以下の国では、日本の加入期間が通算される協定を結んでいます。手続きなどを確認してみましょう。ドイツ、イギリス、韓国、アメリカ、ベルギー、フランス、カナダ、オーストラリア、オランダ、チェコ、スペイン、アイルランド、ブラジル、スイス、ハンガリー、インド、ルクセンブルク、フィリピン、スロバキア、中国、フィンランド、スウェーデン、イタリア
相手国によって、厚生年金だけでなく健康保険についても協定され、内容は異なります。外国人を雇うときは、相手国の協定内容を確認しましょう。
●厚生労働省ホームページ
https://www.mhlw.go.jp/stf/seisakunitsuite/bunya/nenkin/nenkin/shakaihoshou.html
●日本年金機構のホームページ
https://www.nenkin.go.jp/service/shaho-kyotei/shaho.html

脱退一時金（国民年金・厚生年金）

請求した期間は加入期間とみなされない

協定を結んでいる国とは通算できる

前のテーマで説明したとおり、相手国が社会保障協定を締結した国であれば、年金の二重払いはなくなりました。日本で加入した期間は、母国の加入期間に通算されることになり、かけた保険料がムダになるケースが少なくなっています。

社会保障協定を締結していない国から来た人など、加入したが何も受給できない人は、脱退一時金を請求する方法があります。

ただし、**脱退一時金を受け取った場合は、計算の基礎となった期間は、年金加入期間にはカウントされない**ので、注意が必要です。

また、日本の老齢年金の受給資格期間が10年に短縮されました。加入期間が10年以上ある人は、老齢年金を受給することができるため、脱退一時金を受け取ることができません。

2年以内に請求する

脱退一時金は、次の要件を満たす外国人（日本国籍がない人）が受け取ることができます。

①国民年金の第1号被保険者としての保険料納付済期間または厚生年金、共済年金の**加入期間が6か月以上あること**。厚生年金と共済組合の加入期間は、一元化後は、合算して6か月以上あれば支給要件を満たす。ただし、次の期間がある人は、国民年金の保険料納付済期間に加える。
- 保険料4分の1免除期間×3／4
- 保険料半額免除期間×1／2
- 保険料4分の3免除期間×1／4

②老齢基礎年金、老齢厚生年金の受給資格要件を満たしていないこと
③障害年金をもらう権利がないこと
④日本国内に住所がないこと
⑤最後の資格喪失日から**2年以内に請求する**こと

国民年金の加入期間が6か月以上含まれる場合は、日本年金機構に請求すれば他の期間を含めて支払われます。

国民年金の期間が含まれない場合は、最後に加入していた実施機関（共済組合または厚生年金）に請求すれば、まとめて支給されます。

 帰国前に日本国内から請求書を提出する場合は、住民票の転出（予定日）以降に日本年金機構に到着するようにします。

国民年金の脱退一時金はいくらもらえるの？

- 最後に保険料を納付した年度と保険料納付済期間の月数に応じ、表にあてはめます。
- 2021年4月より支給上限が60か月に引き上げられました（最後に保険料を納付した月が2021年4月以降の場合）。
- ただし、次の期間がある人は、保険料納付済期間に加えます。
  保険料4分の1免除期間×3／4
  保険料半額免除期間×1／2
  保険料4分の3免除期間×1／4

保険料納付済期間	受給金額
6か月以上　12か月未満	50,940円
12か月以上　18か月未満	101,880円
18か月以上　24か月未満	152,820円
24か月以上　30か月未満	203,760円
30か月以上　36か月未満	254,700円
36か月以上　42か月未満	305,640円
42か月以上　48か月未満	356,580円
48か月以上　54か月未満	407,520円
54か月以上　60か月未満	458,460円
60か月以上	509,400円

※基準月（最後に国民年金の保険料を納めた月）が、2024年度のときの額。

厚生年金の脱退一時金はどうやって計算するの？

被保険者期間の平均標準報酬額×支給率

支給率＝保険料率（A）×1／2×被保険者期間に応じた数（B）

(A) 保険料率は、厚生年金の加入期間の最終月（最後に資格喪失した日の前月）に応じて次のとおりです。
　①最終月が1月〜8月　▶　前々年の10月の保険料率
　②最終月が9月〜12月　▶　前年の10月の保険料率

(B) 被保険者期間に応じた数

被保険者期間	数	被保険者期間	数
6か月〜11か月	6	36か月〜41か月	36
12か月〜17か月	12	42か月〜47か月	42
18か月〜23か月	18	48か月〜53か月	48
24か月〜29か月	24	54か月〜59か月	54
30か月〜35か月	30	60か月〜	60

※2021年4月より上限月数が60か月に引き上げられた。最終月が2021年3月までの場合、上限36か月となる。

財形貯蓄の概要

ねんきんコラム

　公的年金制度を補うものに、財形年金貯蓄があります。財形年金貯蓄は、財形貯蓄制度の1つで、利子等が非課税であるなどのメリットがあります。

　財形貯蓄は、事業主に雇われている人のための制度であり、勤務先に制度がなければ加入することができません。

　また、毎月または賞与時に賃金からの天引きにより、金融機関に積み立てる制度です。

	一般財形	財形年金	財形住宅
目的	自由	年金として受取（満60歳以上）	住宅の取得・増改築費用に充当
加入要件	契約時年齢制限はなく、複数契約も可能	契約時55歳未満であり、5年以上加入すること 受け取りは、60歳以降5年以上にわたり年金として受け取ること	契約時55歳未満であること
税制優遇措置	なし	財形住宅と合算して元利合計550万円まで利子非課税（生命保険・損害保険は払込385万円まで）	財形年金と合算して元利合計550万円まで利子非課税
財形持家融資制度	一般・年金・住宅いずれでも1年以上加入し、50万円以上の残高を有する場合は、残高の10倍（上限4,000万円）の範囲内で、住宅取得やリフォームのための資金の貸付けが受けられる。		

退職したり、役員になるなどで勤労者でなくなった場合は、新たな積み立てはできなくなります。ただし、新たな勤務先で財形貯蓄制度が導入されていれば、引き続き継続することができます（同一金融機関の取扱いがない場合も一定の要件のもと積み立て継続できる）。

第4章

老齢年金のしくみ

項目	ページ
老齢年金をもらう権利は原則10年加入	70
加入期間を増やす方法はいろいろある①	72
加入期間を増やす方法はいろいろある②	74
国民年金は65歳から受け取る	76
受取り開始は生年月日で決まる	78
40年加入しないと満額を受け取れない	80
付加年金は2年でもとがとれる有利な制度	84
加入月数と報酬をもとに計算する	86
厚生年金に44年以上加入した人は優遇される	90
加入実績をもとに受け取れる	92
厚生年金20年加入でもらえる家族手当	94
妻が20年働くと加給年金をもらえない	96
65歳から妻に払われる	98
請求しなければもらえない	100
稼ぎが多いほど減額される	102
厚生年金に加入しない働き方を検討する	104
50万円までなら減額されない	106
定年退職では取得と喪失を同じ日で提出する	108
さらに減額されることもある	110
ハローワークからもお金がもらえる	112
再就職手当と比べて有利なほうを選択する	114
失業保険と老齢年金の両方はもらえない	116
すぐにもらわないなら延長しておく	118
65歳直前に退職すれば一挙両得	120
70歳以降も働けば減額される	122
年金を早くからもらうと生涯減額される	124
76歳8か月より寿命が短いと繰上げが得	126
デメリットを知ったうえで繰り上げる	128
年金を増やすならあわてて請求しない	132
繰下げの損益分岐点は86歳	134
受け取り開始は夫婦で考える	136
在職中の人は繰下げしても給料と調整される	138
ハガキの返送には注意が必要	140
自分の年金は自分で守る	142
年金は自分で請求しないともらえない	144
老齢年金には税金がかかる	146
確定申告で税金を取り戻そう	148

老齢年金の受給資格

老齢年金をもらう権利は原則10年加入

法改正により10年に短縮された

老齢年金（老齢基礎年金、老齢厚生年金）をもらうには、原則10年以上の加入期間（受給資格期間という）が必要です。この**10年は次の3つの期間を合計します**。

①保険料納付済期間

国民年金に加入して保険料を払った期間（第1号被保険者）、サラリーマンや公務員として働いた期間（第2号被保険者）、サラリーマンの妻として扶養されていた期間（第3号被保険者）です。

②保険料免除期間

保険料を納付することが困難な人のために保険料を免除された期間のことをいいます。この期間は全額を納付したときに比べ、年金額が少なくなりますが、加入期間を計算する上では算入することができます（→40ページ）。

③合算対象期間（カラ期間）

年金額には反映されませんが、年金をもらうための受給資格期間に入れることができる期間です（→73ページ）。

昭和61年3月までは、「サラリーマンの妻は国民年金に加入してもしなくてもよい」とされていました。加入しなかったために、年金を受け取る権利がなくなるのは気の毒です。

このような人を救済する制度が合算対象期間（カラ期間）です。どんなものが合算対象期間（カラ期間）なのか、具体的には72ページで確認してください。

また、この他に、恩給公務員期間を有する人などには、共済年金加入の特例があります（→次ページ）。

加入期間10年を満たせばよいわけではない

老齢年金は、加入期間が10年あればもらえるようになりました。しかし、国民年金は、すべての国民が20歳から60歳まで加入しなければならない強制加入の年金です。40年加入で満額（年約80万円）なので、10年加入では年約20万円です。

また、老齢基礎年金を受け取る資格があるからといって、保険料を払わないでいると、その期間は未納期間となり、障害年金や遺族年金がもらえなくなる可能性があります。

恩給公務員■年金制度は、明治8年に陸軍軍人を対象とした恩給制度から始まりました。恩給の対象となる公務員は、昭和34年共済組合ができる前

年金の加入期間を満たしていますか？

次の期間を合計して10年以上ある
- ●自営業・無職等で国民年金に加入して保険料を払った期間（第1号被保険者）
- ●サラリーマン・OL・公務員として社会保険に加入していた期間（第2号被保険者）
- ●サラリーマン（社会保険に加入）の配偶者として扶養されていた期間（第3号被保険者）

▼NO　　　　　　　　　　　　　　　　　　　　　　　　　▼YES

さらに次の期間を足せば10年以上になる
- ●昭和36年4月以後昭和61年3月までのサラリーマンの妻だった期間
- ●昭和36年4月以後昭和61年3月までの任意加入しなかった期間
　　　　　　　　　　　　　　など合算対象期間（→73ページ）

YES ▶▶▶▶

▼NO

さらに次の期間を足せば10年以上になる
- ●所得が低いなどの理由で免除申請をした期間

YES ▶▶▶▶

▼NO

退職共済年金の特例や恩給などの旧制度で老齢（退職）給付を受けられる

YES ▶▶▶▶▶▶▶▶▶▶▶▶▶▶

→ 年金はもらえます

▼NO

今のままでは老齢年金はもらえません ▶ あきらめず次ページ以降へ

第4章 老齢年金のしくみ

資格期間の特例

老齢年金は平成29年8月から加入期間10年で受給できるようになりました。それまでは原則25年以上必要でしたが、右の表のような特例がありました。

生年月日に応じて厚生年金・共済組合の加入期間が20～24年以上ある（厚生年金・共済組合加入特例）
　昭和27年4月1日以前生まれ　　　・・・20年
　昭和27年4月2日～昭和28年4月1日・・・21年
　昭和28年4月2日～昭和29年4月1日・・・22年
　昭和29年4月2日～昭和30年4月1日・・・23年
　昭和30年4月2日～昭和31年4月1日・・・24年

男性40歳・女性35歳以降の厚生年金の加入期間が15～19年以上ある（中高齢の特例）
　昭和22年4月1日以前生まれ　　　・・・15年
　昭和22年4月2日～昭和23年4月1日・・・16年
　昭和23年4月2日～昭和24年4月1日・・・17年
　昭和24年4月2日～昭和25年4月1日・・・18年
　昭和25年4月2日～昭和26年4月1日・・・19年

に退職した公務員およびその遺族です。

合算対象期間(カラ期間)

加入期間を増やす方法はいろいろある①

合算対象期間はカウントされる

合算対象期間(カラ期間)とは、老齢年金(老齢基礎年金、老齢厚生年金)をもらうために必要な加入期間を計算する上で含まれる期間のことです。

ただし、**国民年金の保険料を支払っていないので、老齢年金の額には反映されません。**

昭和61年の改正のときに日本国内に住んでいる20歳以上60歳未満の人は、国民年金に強制加入になりました。昭和61年3月以前については、国民年金の加入は任意だったため、年金をもらうために必要な加入期間を満たせない人がたくさん出てきました。

こういった人たちを救済する制度が合算対象期間(カラ期間)です。

脱退手当金をもらった期間も対象になる

一番多いケースは、サラリーマンの妻です。任意加入だったときに任意加入しなかった人がたくさんいました。また年金を受けることができる人とその妻で任意加入していなかった人も対象になります。いずれも昭和36年4月から昭和61年3月までの間で20歳以上60歳未満の期間に限ります。

また、以前は結婚して専業主婦になる人が多かったため、将来老齢年金をもらうよりも、脱退手当金をもらうほうが得と考えた人が多かったようです。**脱退手当金をもらった期間もカラ期間です。**

平成3年3月までは、20歳以上60歳未満の学生(夜間制、通信制を除く)で国民年金に任意加入しなかった期間も対象になります。

カラ期間にはいろいろなパターンがある

次ページのように、合算対象期間(カラ期間)にはさまざまなケースがあります。年金をもらうのに必要な加入期間がない人も、年金はもらえないとすぐにあきらめるのではなく、必ずカラ期間を確認しましょう。

なお、平成26年4月以降は、任意加入をしたが保険料を納付しなかった期間についても、合算対象期間(カラ期間)になりました(20歳以上60歳未満)。

加入期間を満たさないとき、合算対象期間(カラ期間)があるかどうかを確認するほか、第3号被保険者期間の届出忘れはないか、法定免除に該当

合算対象期間(カラ期間)の主なもの

昭和36年3月以前
- 厚生年金・共済組合に加入していた期間

昭和36年4月〜昭和55年3月まで
- 国会議員であった60歳未満の期間

昭和36年4月〜昭和56年12月まで
- 外国人または外国人であった人で、日本国籍を取得し(永住許可を受けた場合も含む)、日本に住んでいた20歳以上60歳未満の期間

昭和36年4月〜昭和61年3月まで
- サラリーマンや公務員の配偶者で国民年金に任意加入できた人が任意加入しなかった20歳以上60歳未満の期間
- 年金を受けることができる人とその配偶者で国民年金に任意加入できた人が任意加入しなかった20歳以上60歳未満の期間
- 国民年金の任意脱退の承認を受けて国民年金の被保険者とならなかった期間
※任意脱退:60歳に達するまでに被保険者期間が25年とならないため国民年金を脱退すること。
- 厚生年金の脱退手当金を受けた期間
- 海外居住の日本人で20歳以上60歳未満の期間

昭和36年4月以降
- 厚生年金・共済組合に加入していた期間(第2号被保険者)のうち20歳未満60歳以上の期間

昭和61年4月〜平成3年3月まで
- 20歳以上60歳未満で学生であった期間

平成12年4月以降
- 学生納付特例制度の期間
 (追納しなかった場合)

平成17年4月以降
- 若年者納付猶予制度の期間(追納しなかった場合)

その他
- 任意加入をしたが保険料を納付しなかった20歳以上60歳未満の期間

する期間がなかったかどうか、なども確認しましょう。

任意加入制度、その他

加入期間を増やす方法はいろいろある②

まだまだある有利な方法

老齢年金を受給するには、保険料納付済期間、保険料免除期間、合算対象期間（カラ期間）を合計して原則10年以上必要と説明しました（→70ページ）。

加入期間が不足しても、あきらめてはいけません。**加入期間を増やす方法があります。**
①65歳まで国民年金に任意加入する。
②65歳～70歳の場合は、国民年金の「特例任意加入制度」に加入する。
③厚生年金制度がある会社に就職して厚生年金に加入する（→62ページ）。
④70歳以上は厚生年金の高齢任意加入制度を活用する（→63ページ）。

任意加入制度を有効活用する

①は次の条件をいずれも満たす場合に、本人の希望により、国民年金に加入することができる制度です。
ア）20歳以上65歳未満である。
イ）国内に住んでいる人または国外に住んでいる日本人である。

また、65歳以上の人のために②の特例任意加入制度があります。これは、65歳以上で老齢基礎年金をもらうのに必要な加入期間を満たしていない昭和40年4月1日以前に生まれた人が対象です。老齢基礎年金を受け取る条件（必要な加入期間）を満たすまでの間、**最高70歳まで任意加入できます。** 任意加入をすれば、**加入期間を増やすばかりでなく、年金額を増やす**ことにもなります。

任意加入の制度は、必要な加入期間が足りない人や、年金額を増やしたい人のための制度です。任意で加入し、任意でやめることができますが、満額の老齢基礎年金をもらえるようになったときは、自動的に加入は終了します。

さかのぼって保険料を納める

未納期間がある人は、時効期間である2年前までさかのぼって保険料を納めることができます。

人生100年といわれるようになりました。長生きリスクに備えるために、老齢年金は受給できるようにしておきたいものです。

 厚生年金の適用事業所でない会社で働く人で厚生年金に任意で加入する場合は、国民年金とは違い、会社の同意がなければ加入することはできませ

受給資格期間を満たすその他のケース

●次の2つのケースでも受給資格期間を満たす場合があります。

①沖縄に住んでいた場合

昭和25年4月1日以前に生まれた人で、昭和36年4月から昭和45年3月まで引き続き沖縄に住んでいたことがある人は、保険料免除期間とみなされます（20歳以上60歳未満の期間に限る）。

また、これに該当する人が、昭和62年1月から平成4年3月までの間に、保険料を支払った場合は、保険料納付済期間とされます。

②海外で年金加入をしていた場合

相手国が日本と社会保障協定を結んでいる国（→65ページ）の場合、海外在住の間、その国の年金制度に加入していれば、その期間も加入期間に含まれるケースがあります（→64ページ）。

加入期間を増やす方法

①国民年金に任意加入する
65歳　70歳

②特例任意加入制度に加入する
65歳　70歳

③厚生年金のある会社に就職して厚生年金に加入する
65歳　70歳

④会社に就職して厚生年金の高齢任意加入制度に任意加入する
65歳　70歳

ん（→63ページ）。

老齢基礎年金の受給

国民年金は65歳から受け取る

いつから年金を受け取りたいかをよく考えておく

老齢年金は、一定の年齢に達したとき、老後の生活保障として亡くなるまで生涯もらえる年金です。まずは、夫婦の老齢年金の基本パターン（→次ページ）をおさえておきましょう。

老齢年金は少々複雑なので、どこの説明なのかがわからなくなるかもしれません。そんなときは、この基本パターンで確かめるようにしましょう。このパターンは、夫婦の生年月日や働き方などによって変わります。

まず、自分や妻（夫）の老齢年金は何歳からもらえるのか、どんな種類の年金がもらえるのかを、きちんと把握しておきましょう。そして、「金額は下がっても早くもらうほうがいい」のか、「今すぐもらわずに年金額を上げるほうがいい」のか、よく計画を立てておくと、後で「しまった」ということがありません。

年金の加入状況によってもらう年金が異なる

老齢年金は年金に加入した期間などが原則10年以上ある人が受け取ることができます（→70ページ）。受け取る年金は、年金の加入状況によって違ってきます。

国民年金のみに加入していた人は、年金制度の基礎となる1階部分である国民年金部分（老齢基礎年金）だけを受け取ります。

厚生年金・共済組合に1か月でも加入していた人は1階部分の老齢基礎年金プラス老齢厚生年金を受け取ることができます。ただし、原則10年以上加入して、国民年金部分がもらえる上でのことです。

国民年金は老齢基礎年金だけ受け取る

ずっと自営業者であった人（第1号被保険者）、ずっと農林漁業者であった人（第1号被保険者）、ずっとサラリーマンの妻であった人（第3号被保険者）など、国民年金のみにしか加入していない人は、65歳から老齢基礎年金を受け取ります。

もちろん10年以上の加入期間が必要です。

 老齢年金を受け取る権利（受給権）は誕生日の前日に発生し、受給権を得た翌月から年金が受け取れます。たとえば4月1日生まれの人は3月31日に

老齢年金の基本パターン

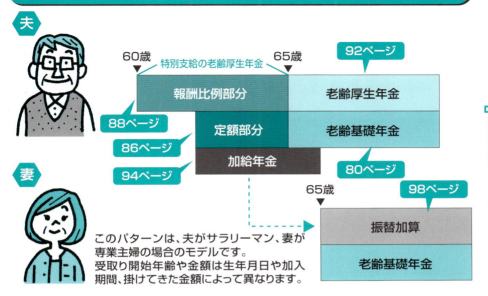

このパターンは、夫がサラリーマン、妻が専業主婦の場合のモデルです。
受取り開始年齢や金額は生年月日や加入期間、掛けてきた金額によって異なります。

第4章 老齢年金のしくみ

■国民年金の加入期間だけの人（第1号被保険者や第3号被保険者）
● 65歳から老齢基礎年金を受け取ります。

上記の夫のような60歳台前半に受け取る年金や老齢厚生年金、加給年金はありません。

> **hint 海外の年金制度**
> 海外の年金制度を見てみると、アメリカ、イギリス、ドイツ、フランス等の主要国はどこも賦課方式を取り入れています。賦課方式とは、社会的扶養の仕組みであり、その時の現役世代の保険料を原資とするもので、インフレや給与水準の変化に対応しやすいと考えられています（これに対し、積立て方式は、現役時代に積み立てた積立金を原資とする）。
> また、支給開始年齢は、アメリカ、イギリスは66歳、ドイツは段階的に67歳まで引上げ中、フランスは62歳（満額支給開始年齢は67歳）（満額拠出期間を満たす場合）となっています。

受給権を得て、年金の受け取りは4月から。4月2日生まれの人は4月1日に受給権を得て、5月から年金を受け取ることになります。

老齢厚生年金・共済年金の受給

受取り開始は生年月日で決まる

60歳台前半からもらうには1年以上加入する

老齢年金を受け取り始める年齢は原則65歳からですが、老齢厚生年金には60歳から64歳に受け取るものもあります。つまり、老齢厚生年金には、「①60歳台前半の老齢厚生年金（特別支給の老齢厚生年金）」と「②65歳からの老齢厚生年金」の2種類があるのです。
①60歳台前半の老齢厚生年金（特別支給の老齢厚生年金）

老齢年金を受け取り始める年齢

厚生年金の加入期間が1年以上の人（共済組合等合算される）
※老齢基礎年金の受給資格期間（原則10年以上）を満たしているとき
● 60歳〜64歳（生年月日に応じて）は特別支給の老齢厚生年金を受け取ります。
● 65歳から老齢基礎年金と老齢厚生年金を受け取ります。　※加給年金は94ページ参照。
● 合算して1年に満たない場合、60歳台前半の老齢厚生年金はありません。

 60歳台前半の特別支給の老齢厚生年金の「1年以上」の判定では、一元化前は厚生年金と共済年金は合算されませんでしたが、一元化後は合算され

サラリーマンや公務員などの厚生年金、共済組合に加入した期間が合算して1年以上ある人に、60歳台前半から支給されます。

支給開始年齢は、下表のとおり生年月日に応じたものになっています。

一元化前より、民間企業の厚生年金男性はA、女性はBのスケジュールでした。また、公務員などの共済組合加入者は、男女ともAのスケジュールでした。

一元化後も、そこは統一されず、異なるスケジュールのままになっています。

そのため、たとえば、昭和33年5月1日生まれの女性が、一般企業で5年、公務員として6年働いた場合、61歳から一般企業で働いた分、63歳から公務員として働いた分の支給が開始されます。

各種の厚生年金加入期間を合算しても1年に満たない人には、60歳台前半の老齢厚生年金はありません。

もちろん、前提となる10年以上の受給資格要件を満たしていなければ支給されません（→70ページ）。

②65歳からの老齢厚生年金

厚生年金に1か月以上加入すれば、65歳からは、老齢基礎年金に加えて厚生年金が支給されます。

この場合も当然、前提となる受給資格要件を満たしていなければ支給されません（→70ページ）。

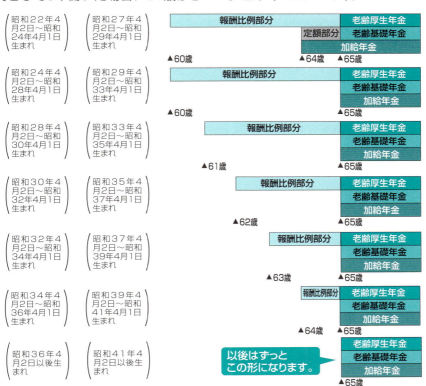

るようになりました。

老齢基礎年金（国民年金）

40年加入しないと満額を受け取れない

1年加入すると2万円の年金になる

　老齢基礎年金の加入期間は、第1号被保険者、第2号被保険者、第3号被保険者の期間の合計です（→70ページ）。

　老齢基礎年金は、加入期間が10年以上あれば65歳から受け取ることができます。そのため、「10年加入したから、老齢基礎年金は満額もらえる」と誤解している人がいるようです。

　老齢基礎年金では20歳から60歳までの**40年間すべて保険料を支払った場合に、満額の816,000円**が受け取れます。40年（480月）に満たない場合は満額の年金額から40年（480月）に足りない分を減らした年金額を受け取ることになります。

　これを簡単に計算すると、**1年の加入は約2万円の年金に相当**します（→次ページ）。

　未納期間や保険料免除期間、学生納付特例・若年者納付猶予制度の期間があれば、満額の年金をもらうことはできません（追納をしていない場合）。また、合算対象期間（→72ページ）も年金額には反映されません。

40年加入できなかった人もいる

　昭和16年4月1日以前生まれの人は、満額を受け取る年数が40年ではなく、25〜39年と決められています。この年数のことを「加入可能年数」といいます。国民年金では生年月日に応じた加入可能年数が決められています。

　現在では20歳以上60歳未満のすべての人が国民年金に加入しないといけないため、加入可能年数は40年となっています。しかし、国民年金が始まった昭和36年4月に20歳以上になっていた人（昭和16年4月1日以前生まれの人）は、60歳になるまで40年間国民年金に加入することは不可能です。そのため、加入可能年数が40年ではなく、25〜39年と決められているのです。

　老齢基礎年金（国民年金）では、**加入可能年数すべての期間、保険料を支払った場合に、満額の816,000円**となります。

　加入可能年数に満たない場合は、加入期間に応じて、按分計算をした年金額となるのです。

 日本の年金制度は受給権者が生きている限り年金を受け取ることができる終身年金になっています。これに対し、一定期間生死にかかわらず受け取

払った年金は10年でもとがとれる

加入可能年数40年で試算。物価上昇等を考えない現時点の額。

約800,000円 ÷ 40年 = 約20,000円
年金額（受取り）／満額もらうために掛ける年数／1年掛けたときにもらえる年金額

16,520円 × 12か月 = 約200,000円
保険料月額（支払い）／月数／1年あたりの保険料負担額

約200,000円 ÷ 約20,000円 = 約10年
1年あたりの保険料負担額／1年掛けたときにもらえる年金額

▶ 75歳まで生きればもとがとれます（受給開始65歳から10年）

■100歳まで生きたら、とってもおトク

※加入可能年数40年で試算。物価上昇等は考慮していない。

掛けた額（支払い）　16,980円×12か月 = 約200,000円
保険料月額／月数／1年あたりの保険料負担額

約200,000円×40年 = 約8,000,000円
1年あたりの保険料負担額／掛ける年数／満額もらうために生涯で掛けた保険料トータル

受給額（受け取り）　約800,000円×35年 = 約28,000,000円
1年あたりの受取年金額／受取年数／65歳〜100歳までの生涯で受け取る年金額トータル

■生年月日に応じた加入可能年数

生年月日	加入可能年数	生年月日	加入可能年数
大正15年4月2日〜昭和2年4月1日	25年	昭和9年4月2日〜昭和10年4月1日	33年
昭和2年4月2日〜昭和3年4月1日	26年	昭和10年4月2日〜昭和11年4月1日	34年
昭和3年4月2日〜昭和4年4月1日	27年	昭和11年4月2日〜昭和12年4月1日	35年
昭和4年4月2日〜昭和5年4月1日	28年	昭和12年4月2日〜昭和13年4月1日	36年
昭和5年4月2日〜昭和6年4月1日	29年	昭和13年4月2日〜昭和14年4月1日	37年
昭和6年4月2日〜昭和7年4月1日	30年	昭和14年4月2日〜昭和15年4月1日	38年
昭和7年4月2日〜昭和8年4月1日	31年	昭和15年4月2日〜昭和16年4月1日	39年
昭和8年4月2日〜昭和9年4月1日	32年	昭和16年4月2日以降	40年

注意：加入可能年数は「年」単位であるため、たとえば35年7か月納付したとしても35年でカウントされます。

れる年金を「確定年金」、あらかじめ決められた一定期間生きている限り受け取れる年金を「有期年金」といいます。

老齢基礎年金はいくらもらえるの？

$$816,000円^※ \times \frac{保険料納付済期間の月数}{480月}$$

昭和16年4月1日以前生まれの人は、「480月」を「加入可能年数(→81ページ)×12か月」と読み替えて計算します。

※昭和31年4月1日以前生まれの方は813,700円。

■免除期間がある人の計算方法

●免除期間がある人は、次の計算式によって算出されます。

$$816,000円 \times \frac{保険料納付済期間の月数+((※)保険料免除の月数×乗率)}{480月（加入可能年数×12か月）}$$

昭和16年4月1日以前生まれの人は、「480月」を「加入可能年数×12か月」と読み替えて計算します(→81ページ)。

保険料免除の月数は、次の乗率を掛けて計算します。

■平成21年3月までに免除を受けた期間

1/4免除期間の月数 ×5／6 ＋ 半額免除期間の月数 ×2／3

＋ 3/4免除期間の月数 ×1／2 ＋ 全額免除期間の月数 ×1／3

■平成21年4月以降に免除を受けた期間

1/4免除期間の月数 ×7／8 ＋ 半額免除期間の月数 ×3／4

＋ 3/4免除期間の月数 ×5／8 ＋ 全額免除期間の月数 ×1／2

MEMO 法定免除は全額免除として計算します。学生納付特例制度と若年者納付猶予制度は対象になりません。

老齢基礎年金の額を計算してみよう

ずっと自営業だった場合
●保険料納付済期間の月数……360月

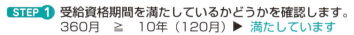

STEP 1 受給資格期間を満たしているかどうかを確認します。
360月 ≧ 10年（120月） ▶ 満たしています

STEP 2 受け取る年金額を計算します。

816,000円※ × 360月 / 480月 ＝ 612,000円 ▶ 65歳から612,000円（1円未満は四捨五入）の老齢基礎年金が受け取れます。

共済年金一元化により、端数処理が1円単位に変わった（平成27年10月）。
※昭和31年4月1日以前生まれの方は813,700円。

■納付年数と受取り額

納付年数(年)	受け取る年金(年)	受け取る年金(月)	納付年数(年)	受け取る年金(年)	受け取る年金(月)
40	816,000	68,000	24	489,600	40,800
39	795,600	66,300	23	469,200	39,100
38	775,200	64,600	22	448,800	37,400
37	754,800	62,900	21	428,400	35,700
36	734,400	61,200	20	408,000	34,000
35	714,000	59,500	19	387,600	32,300
34	693,600	57,800	18	367,200	30,600
33	673,200	56,100	17	346,800	28,900
32	652,800	54,400	16	326,400	27,200
31	632,400	52,700	15	306,000	25,500
30	612,000	51,000	14	285,600	23,800
29	591,600	49,300	13	265,200	22,100
28	571,200	47,600	12	244,800	20,400
27	550,800	45,900	11	224,400	18,700
26	530,400	44,200	10	204,000	17,000
25	510,000	42,500			

※加入可能年数40年で試算。昭和31年4月2日以降生まれで記載。

付加年金

付加年金は2年で もとがとれる有利な制度

年金額を増やす方法はいくつもある

自営業者のように、国民年金だけ掛けてきた人の老齢基礎年金（国民年金）は、受給額を増やすことができます。その方法として、

①未納となっている期間の保険料を支払う（2年前までさかのぼって支払うことができる）。
②保険料免除・猶予期間の保険料を支払う（→44ページ）。
③任意加入をする（→74ページ）。
④付加保険料を支払う。

があります。

この他にも、国民年金基金、確定拠出年金（→150ページ）などの方法もあります。

付加年金は自営業者のための有利な制度

付加保険料を支払っていた人は、老齢基礎年金にプラスして、付加年金を受け取れます。これは、国民年金の第1号被保険者だけの特典です。

毎月400円の付加保険料を支払えば、次の計算による額の付加年金が死ぬまで上乗せされます。物価上昇などを考えずに単純計算すると、2年でもとがとれる、とても有利な制度です（→次ページ）。

〔付加年金の額（1年に受け取る額）＝200円×付加保険料納付済の月数〕

ただし、国民年金基金（→48ページ）との両方に加入することはできません。

対象者は、自営業者やフリーターなど第1号被保険者と、65歳未満の国民年金の任意加入者です。付加保険料だけを納付することはできず、国民年金保険料に加えて400円を納付します。保険料を免除・猶予されている人は付加保険料を支払うことができません。

老齢基礎年金は、毎年4月に物価の変動にあわせて年金額が変わります。しかし、付加年金は物価の影響を受けないので、もらえる付加年金の額は変わらないとされています。

付加保険料は、申し出をした月以後支払うことができます。また、いつでもやめることができ、既に払った分を除き、申し出をした前月以降の保険料を払わないことができます。

住所地の国民年金の窓口に申し出れば、手続きができます。

 付加保険料は、翌月末日が納期限日です。納付期限を経過しても、過去2年分まで納付できます。

任意加入と付加年金の損得

●65歳未満の任意加入者は付加保険料も納付することができます。
どちらのほうがメリットがあるでしょう?

ケース1 任意加入をした場合

81ページで説明したとおり、任意加入の場合も **約10年でもとがとれます**。

ケース2 付加保険料を支払った場合

付加年金の1年間にもらえる年金額は、
〔付加年金額＝200円×付加保険料納付済月数〕

●付加保険料は毎月400円なので、1年間（12か月）で合計4,800円となります。
●このときの付加年金額は毎月200円×12か月＝2,400円（年額）となり、毎年、老齢基礎年金にプラスして、2,400円の付加年金を受け取ることができます。

年金をもらい始めてから **2年でもとがとれる** ということになります。

■付加年金の保険料と受け取る年金額

	保険料負担（円）	受け取る付加年金額（年額:円）	受け取る付加年金額（月額:円）
1年	4,800	2,400	200
5年	24,000	12,000	1,000
10年	48,000	24,000	2,000
20年	96,000	48,000	4,000
30年	144,000	72,000	6,000
40年	192,000	96,000	8,000

最高96,000円受け取れます。
老齢基礎年金（国民年金）と合計して最高912,000円
（昭和31年4月1日以前生まれは909,700円）となります。

5年掛けると月1,000円もらえます。

第4章 老齢年金のしくみ

60歳台前半の老齢厚生年金計算式

加入月数と報酬をもとに計算する

報酬比例部分と定額部分がある

老齢基礎年金の受給期間を満たした人（→70ページ）で**1年以上厚生年金に加入していた人**は、当分の間、60歳台前半に老齢厚生年金を受け取ることができます（特別支給の老齢厚生年金→詳細な要件や受取り開始年齢は78ページを参照）。

報酬比例部分と定額部分があり、計算方法は次のとおりです。
①定額部分はこのページから次ページ
②報酬比例部分は88～89ページ

特別支給の老齢厚生年金

●報酬比例部分と定額部分のことを特別支給の老齢厚生年金といいます。

```
              ▼60歳           ▼65歳
              報酬比例部分      老齢厚生年金
特別支給の老齢厚生年金  定額部分    老齢基礎年金
                      加給年金   ※加給年金は94ページ参照。
```

■定額部分の乗率と上限月数
共済組合の加入期間はそれぞれ別に計算され、合算せずに上限月数をみる。

生年月日	乗率	上限月数
昭和　9年4月2日～昭和10年4月1日生まれ	1.458	444月
昭和10年4月2日～昭和11年4月1日生まれ	1.413	444月
昭和11年4月2日～昭和12年4月1日生まれ	1.369	444月
昭和12年4月2日～昭和13年4月1日生まれ	1.327	444月
昭和13年4月2日～昭和14年4月1日生まれ	1.286	444月
昭和14年4月2日～昭和15年4月1日生まれ	1.246	444月
昭和15年4月2日～昭和16年4月1日生まれ	1.208	444月
昭和16年4月2日～昭和17年4月1日生まれ	1.170	444月
昭和17年4月2日～昭和18年4月1日生まれ	1.134	444月
昭和18年4月2日～昭和19年4月1日生まれ	1.099	444月
昭和19年4月2日～昭和20年4月1日生まれ	1.065	456月
昭和20年4月2日～昭和21年4月1日生まれ	1.032	468月
昭和21年4月2日以降生まれ	1.000	480月

MEMO 60歳台前半の老齢厚生年金も、原則10年以上の加入要件（→70ページ）は満たしていなければもらえませんが、受取り開始時点で満たしていなく

定額部分の計算のしくみ

国民年金に40年加入すると約80万円なので、1か月加入時の年金額（80万円÷40年÷12か月）

1,701※円 （年度ごとに決まっている） × **乗率** （生年月日により決まっている →前ページ） × **加入月数** （上限あり →前ページ）

※昭和31年4月1日以前生まれの方は1,696円。

● 在職中の報酬額には関係なく、厚生年金の加入月数に生年月日別の単価を掛けて計算します。

■定額部分早見表（1年あたりの受取り額の目安）

この早見表は、おおよその金額を見るために使い、実際の加入状況を確認して試算してもらってください。

生年月日 加入期間（年）	昭和17年 4月2日～ 18年4月1日	昭和18年 4月2日～ 19年4月1日	昭和19年 4月2日～ 20年4月1日	昭和20年 4月2日～ 21年4月1日	昭和21年 4月2日～
1	23,079	22,367	21,675	21,003	20,352
10	230,792	223,668	216,749	210,033	203,520
15	346,188	335,503	325,123	315,049	305,280
20	461,583	447,337	433,498	420,065	407,040
25	576,979	559,171	541,872	525,082	508,800
26	600,058	581,538	563,547	546,085	529,152
27	623,138	603,905	585,222	567,088	549,504
28	646,217	626,272	606,897	588,091	569,856
29	669,296	648,639	628,572	609,095	590,208
30	692,375	671,005	650,246	630,098	610,560
31	715,454	693,372	671,921	651,101	630,912
32	738,533	715,739	693,596	672,104	651,264
33	761,613	738,106	715,271	693,108	671,616
34	784,692	760,473	736,946	714,111	691,968
35	807,771	782,840	758,621	735,114	712,320
36	830,850	805,207	780,296	756,118	732,672
37	853,929	827,573	801,971	777,121	753,024
38	853,929	827,573	823,645	798,124	773,376
39	853,929	827,573	823,645	819,127	793,728
40	853,929	827,573	823,645	819,127	814,080

※将来の法改正や少子化の進行状況、物価上昇等は加味していない。
※加入期間には上限がある（→前ページ）。

ても、満たした時点から受け取ることができます。

報酬比例部分の計算のしくみ

次の(1)または(2)の計算式のうち、いずれか高いほうが支給されます。
- 計算式だけを見ると、当然(2)の金額のほうが高そうに見えます。
  しかし、平均標準報酬額(または平均標準報酬月額)には、現在の価値にあわせるための「再評価率」を乗じていて、(1)と(2)の「再評価率」は異なるので、どちらが有利なのかは、個別に違ってきます。

(1)平成12年改正後(本来の計算式)

平成15年3月までの期間　平均標準報酬月額 × $\dfrac{9.5～7.125}{1,000}$ × 平成15年3月までの加入月数
(→次ページ①)

平成15年4月以降の期間　平均標準報酬額 × $\dfrac{7.308～5.481}{1,000}$ × 平成15年4月以降の加入月数
(→次ページ②)

(2)平成12年改正前

平成15年3月までの期間　平均標準報酬月額 × $\dfrac{10～7.50}{1,000}$ × 平成15年3月までの加入月数 × 1.041※
(→次ページ③)

平成15年4月以降の期間　平均標準報酬額 × $\dfrac{7.692～5.769}{1,000}$ × 平成15年4月以降の加入月数 × 1.041※
(→次ページ④)

※昭和13年4月1日以前に生まれた方は1.043。

- 在職中の報酬(給料・ボーナス)、加入期間が多いほど受取り額は多くなります。

■報酬比例部分早見表(1年あたりの受取り額の目安)

この早見表は、おおよその金額を見るために使い、実際の加入状況を確認して試算してもらってください。

働いた期間(年)	働いた期間の給料の平均						
	10万円	15万円	20万円	25万円	30万円	35万円	40万円
1	9,369	14,054	18,738	23,423	28,107	32,792	37,476
10	93,690	140,535	187,380	234,225	281,070	327,915	374,760
15	140,535	210,803	281,070	351,338	421,605	491,873	562,140
20	187,380	281,070	374,760	468,450	562,140	655,830	749,520
25	234,225	351,338	468,450	585,563	702,675	819,788	936,900
30	281,070	421,605	562,140	702,675	843,210	983,745	1,124,280
35	327,915	491,873	655,830	819,788	983,745	1,147,703	1,311,660
40	374,760	562,140	749,520	936,900	1,124,280	1,311,660	1,499,040

※昭和31年4月2日以降生まれで試算した。
※将来の法改正や少子化の進行状況、物価上昇等は加味していない。
※給料の他に3.6か月分のボーナスがある場合で試算(年金加入期間の要件を満たすことが前提)。
※給料は現在の価値に直している。
※計算方法により、端数は異なる。

平均標準報酬額／平均標準報酬月額■平成15年4月以降の厚生年金加入期間中の標準報酬月額・標準賞与額を月単位で平均したものを平均標準報酬

■報酬比例部分の乗率

生年月日	(1)平成12年 改正後 ①H15.3まで	(1)平成12年 改正後 ②H15.4から	(2)平成12年 改正前 ③H15.3まで	(2)平成12年 改正前 ④H15.4から
昭2年4月1日以前	9.500/1,000	7.308/1,000	10/1,000	7.692/1,000
昭2年4月2日〜昭3年4月1日	9.367/1,000	7.205/1,000	9.86/1,000	7.585/1,000
昭3年4月2日〜昭4年4月1日	9.234/1,000	7.103/1,000	9.72/1,000	7.477/1,000
昭4年4月2日〜昭5年4月1日	9.101/1,000	7.001/1,000	9.58/1,000	7.369/1,000
昭5年4月2日〜昭6年4月1日	8.968/1,000	6.898/1,000	9.44/1,000	7.262/1,000
昭6年4月2日〜昭7年4月1日	8.845/1,000	6.804/1,000	9.31/1,000	7.162/1,000
昭7年4月2日〜昭8年4月1日	8.712/1,000	6.702/1,000	9.17/1,000	7.054/1,000
昭8年4月2日〜昭9年4月1日	8.588/1,000	6.606/1,000	9.04/1,000	6.954/1,000
昭9年4月2日〜昭10年4月1日	8.465/1,000	6.512/1,000	8.91/1,000	6.854/1,000
昭10年4月2日〜昭11年4月1日	8.351/1,000	6.424/1,000	8.79/1,000	6.762/1,000
昭11年4月2日〜昭12年4月1日	8.227/1,000	6.328/1,000	8.66/1,000	6.662/1,000
昭12年4月2日〜昭13年4月1日	8.113/1,000	6.241/1,000	8.54/1,000	6.569/1,000
昭13年4月2日〜昭14年4月1日	7.990/1,000	6.146/1,000	8.41/1,000	6.469/1,000
昭14年4月2日〜昭15年4月1日	7.876/1,000	6.058/1,000	8.29/1,000	6.377/1,000
昭15年4月2日〜昭16年4月1日	7.771/1,000	5.978/1,000	8.18/1,000	6.292/1,000
昭16年4月2日〜昭17年4月1日	7.657/1,000	5.890/1,000	8.06/1,000	6.200/1,000
昭17年4月2日〜昭18年4月1日	7.543/1,000	5.802/1,000	7.94/1,000	6.108/1,000
昭18年4月2日〜昭19年4月1日	7.439/1,000	5.722/1,000	7.83/1,000	6.023/1,000
昭19年4月2日〜昭20年4月1日	7.334/1,000	5.642/1,000	7.72/1,000	5.938/1,000
昭20年4月2日〜昭21年4月1日	7.230/1,000	5.562/1,000	7.61/1,000	5.854/1,000
昭21年4月2日以後	7.125/1,000	5.481/1,000	7.50/1,000	5.769/1,000

第4章 老齢年金のしくみ

共済組合に加入したことがある場合

厚生年金にも共済組合にも加入していた人の老齢厚生年金は、それぞれで計算し、支給されます。
(例) 公務員として10年、一般企業で30年加入した場合
公 務 員：共済組合が10年分を計算し、支給
一般企業：日本年金機構が30年分を計算し、支給

額、平成15年3月以前の厚生年金加入期間中の標準報酬月額を平均したものを平均標準報酬月額といいます。平成15年4月から賞与も年金額に反映されています。

60歳台前半の老齢厚生年金の特例

厚生年金に44年以上加入した人は優遇される

障害者や厚生年金に長期で加入した人には特例がある

障害のある人や、厚生年金または共済年金に44年以上加入した人は、特例として報酬比例部分にあわせて定額部分（要件にあえば加給年金も）も受け取ることができます（→次ページ）。

もらえる期間は、生年月日に応じて、報酬比例部分と同じ期間です。

報酬比例部分をもらい始めるときに要件を満たしていなくても、要件を満たした時点でもらうことができます。

一元化がなされ、共済組合の加入期間と厚生年金の加入期間が通算されるものもありますが、この制度は通算されず、1つの実施機関での加入期間をみることになっています。

この特例に該当する人で注意しなければならないのは、**厚生年金の被保険者となったときは特例がなくなる**ことです。

この「厚生年金の被保険者」は、一元化後は、異なる実施機関に加入しても影響します。

たとえば、公務員として共済組合に44年以上加入していた人が、一般企業で厚生年金に加入したときは、定額部分・加給年金が支給停止されます。

特例として定額部分がもらえる制度

概要	対象者	対象となる人の生年月日	特例としてもらえる期間	注意点
障害者の特例	厚生年金の障害等級が3級以上の人	昭和16年4月2日から昭和36年4月1日（女性は昭和21年4月2日～昭和41年4月1日）生まれの人	生年月日に応じて報酬比例部分と同じ期間（次ページ斜線部分）	厚生年金の被保険者でない場合のみ特例が受けられる
長期加入者の特例	厚生年金または共済年金の加入期間が44年（528月）以上ある人			

 厚生年金に長期で加入した人は、この特例をもらうための請求をする必要はありませんが、障害のある人の特例については、要件に該当しても、請

障害者または厚生年金加入44年以上の特例に該当する場合

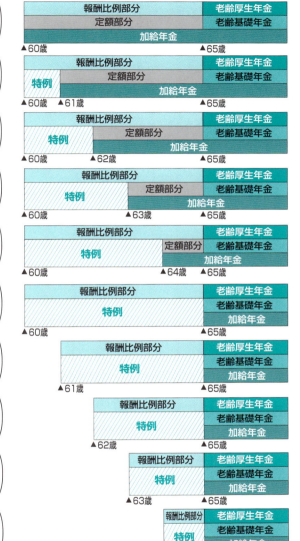

65歳以降の老齢厚生年金、経過的加算

加入実績をもとに受け取れる

本来の老齢厚生年金は65歳から

現在の法律では、原則として65歳から老齢厚生年金を受け取ることになっています。老齢厚生年金は、老齢基礎年金を受け取る権利がある人（加入期間を満たしている人→70ページ）が、たとえ1か月でも厚生年金に加入していれば受け取ることができます。

つまり、加入要件を満たした人が**1か月でも厚生年金に加入すれば、65歳からは、老齢基礎年金と老齢厚生年金の2階建てで受給する**ことになります。

老齢年金のモデルは22万円

65歳からの老齢厚生年金の**計算式は、特別支給の老齢厚生年金の報酬比例部分と同じ**です（→88ページ）。

政府は、老齢年金（老齢基礎年金＋老齢厚生年金。夫婦の合計）のモデルを月22万円としています。

このモデルは、平均的な給料、ボーナスをもらって40年働き、専業主婦の妻がいる夫婦の世帯を想定しています。

現実には、働いていたときの給料の額や加入年数などによって、当然年金の額は異なります。また、将来も少子化の進み具合や物価変動などによって変わってきます。

次ページに老齢基礎年金と老齢厚生年金の概算がわかる早見表を掲載しました。参考にしてください。

経過的加算は定額部分と老齢基礎年金の差を埋める

60歳台前半に、特別支給の老齢厚生年金を受け取っていた人は、65歳になると定額部分は老齢基礎年金として、報酬比例部分は老齢厚生年金として受け取ることになり、通常の老齢基礎年金と老齢厚生年金の2階建てと同じ形になります（→次ページ）。

65歳からの老齢基礎年金は、65歳までの定額部分と計算方法が異なるため、当分の間、老齢基礎年金のほうが少額ですが少なくなることがあります。

65歳になったとき受け取る年金が下がらないように、65歳からの老齢厚生年金では、「経過的加算」という加算をすることで差を調整しています。

---

92 原則は65歳から受け取りますが、必要な加入期間を満たしていないため、老齢年金をもらう権利がない人が加入期間を満たした場合は、その時点で

65歳からの老齢基礎年金＋老齢厚生年金（1年あたりの概算）

● 老齢厚生年金の計算方法は、報酬比例部分と同じです（→88ページ）。

■老齢基礎年金、老齢厚生年金の合計（加給年金、経過的加算は含んでいない）

働いた期間（年）	働いた期間の給料の平均						
	10万円	15万円	20万円	25万円	30万円	35万円	40万円
1	29,769	34,454	39,138	43,823	48,507	53,192	57,876
10	297,690	344,535	391,380	438,225	485,070	531,915	578,760
15	446,535	516,803	587,070	657,338	727,605	797,873	868,140
20	595,380	689,070	782,760	876,450	970,140	1,063,830	1,157,520
25	744,225	861,338	978,450	1,095,563	1,212,675	1,329,788	1,446,900
30	893,070	1,033,605	1,174,140	1,314,675	1,455,210	1,595,745	1,736,280
35	1,041,915	1,205,873	1,369,830	1,533,788	1,697,745	1,861,703	2,025,660
40	1,190,760	1,378,140	1,565,520	1,752,900	1,940,280	2,127,660	2,315,040

※昭和31年4月2日以降生まれで試算した。
※給料の他に3.6か月分のボーナスがある場合で試算（将来の法改正や少子化の進行、物価上昇等は加味していない）。
※給料は現在の価値に直している。
※加入期間の要件を満たさなければ年金はもらえない（→70ページ）。
※この早見表は、おおよその金額を見るために使い、厳密な額は実際の加入状況を確認して試算してもらってください。

経過的加算

■経過的加算はいくらになる？

経過的加算 ＝ 定額部分 － 老齢基礎年金の額
　　　　　＝（1,701円×乗率×加入月数）
　　　　　　　　（→87ページ）

　　　　　－（816,000円 × 昭和36年4月以降で20歳以上60歳未満の厚生年金の加入月数 ／（加入可能年数（→81ページ）× 12））

※このときの計算式は、老齢基礎年金の受取り額の計算式と同じではない。
※昭和31年4月2日以降生まれで試算した。

支給されます。

加給年金①

厚生年金20年加入でもらえる家族手当

加給年金は老齢厚生年金にプラスする

65歳になり、老齢厚生年金（または定額部分）を受け取れるようになったとき、次の要件に該当すると、「年金の家族手当」（加給年金）が加算されます。

①**定額部分または老齢厚生年金を受け取れる。**

②厚生年金に20年以上加入している（共済組合の加入期間は合算される）。

昭和26年以前に生まれた人は生年月日に応じて中高齢以降15〜19年以上厚生年金に加入している（中高齢の特例→96ページ）。

一元化後、旧共済組合など種別の異なる加入期間でも合算されるようになりましたが、一元化されただけで加算されるようになるわけではありません。65歳になったり、退職したりするなどの合算契機が必要です。

③生計を維持している**65歳未満の妻（配偶者）**、または18歳未満の子、または障害等級1、2級の障害の状態にある20歳未満の子がいる（年収850万円未満であることが条件）。

妻（配偶者）が厚生年金に20年以上加入している場合などは、受け取れません（→96ページ）。

この制度は厚生年金の制度です。国民年金（老齢基礎年金）だけしかもらえない人には、加給年金はありません。

なお、本人が65歳到達後（または定額部分支給開始年齢に達した後）、厚生年金加入が20年以上になったときは、在職定時改定時（→108ページ）、退職時または70歳到達時に生計を維持されている妻（配偶者）または子がいるときに加算されます。

加給年金の受給には、届出が必要です。

年収850万円が生計維持の目安となる

この場合の「生計維持」の基準は、税金などの「扶養家族」よりも範囲は広く考えられています。生計を維持されている人の年収が850万円以上の場合は「生計維持」しているとは認められません。

ただし、年収850万円以上でも、**5年以内に定年退職し、850万円未満になるときは、生計維持と認められます。**

 加給年金の対象となる配偶者については、籍を入れていない事実上の夫婦（内縁の妻）でもかまいません（→156ページ）。

妻が65歳になると支給が止まる

　生計維持の認定は、①②の要件を満たしたときの状況で見ます。そのため、定額部分の年金を受け取るようになったときは独身で、その後、結婚して配偶者を扶養するようになっても加給年金を受け取ることはできません。

　加給年金をもらっていても、配偶者と離婚したり、子が18歳になったり（18歳に達する日以降最初の3月31日に達したとき）すると、その家族は対象からはずれて加給年金が減額されます（→下図）。また、**妻（配偶者）が65歳になると支給されなくなります**。

加給年金はいくらもらえる？

●対象となる家族のすべてを合計します。

《配偶者（65歳未満）》

受け取る人の生年月日（配偶者ではない）	加給年金額（年）
昭和9年4月1日まで	234,800円
昭和9年4月2日～昭和15年4月1日生まれ	269,500円
昭和15年4月2日～昭和16年4月1日生まれ	304,100円
昭和16年4月2日～昭和17年4月1日生まれ	338,800円
昭和17年4月2日～昭和18年4月1日生まれ	373,400円
昭和18年4月2日以降生まれ	408,100円

《子（18歳未満の子　または障害等級1、2級の障害の状態にある20歳未満の子）》

1・2人目の子	3人目以降の子
1人につき234,800円	1人につき78,300円

■加給年金をもらえなくなるとき

●加給年金は、次の場合にもらえなくなり、翌月からその家族分が減額されます。

①配偶者が20年以上加入の老齢厚生年金または共済年金を受けるとき
②配偶者が障害年金を受けるとき
③配偶者が65歳になったとき
④子が18歳になったとき（18歳に達する日以降最初の3月31日に達したとき）
⑤障害状態の子が20歳になったとき
⑥対象となっている配偶者や子が死亡したとき
⑦配偶者と離婚したとき
⑧配偶者や子を生計維持しなくなったとき
⑨子が結婚をしたとき
⑩子が他の人の養子になったとき（配偶者を除く）

など

加給年金②

妻が20年働くと加給年金をもらえない

扶養される人の要件もある

妻（配偶者）が次のいずれかに該当する場合、夫は加給年金を受け取ることができません。

①妻（配偶者）が厚生年金（各号の加入期間を合算）に20年以上加入して老齢厚生年金（または旧退職共済年金）を受給する権利があるとき（「中高齢特例」に該当する場合は15〜19年以上→下の表）

令和4年3月時点で既に加給年金を受給している場合は、引き続き加給年金が支給される経過措置があります。

②障害年金（障害基礎年金、障害厚生年金、旧障害共済年金）をもらえるとき

妻が働いて20年以上厚生年金に加入すると、加給年金はもらえなくなります。

生年月日によっては、加給年金の額は大きいので、20年働いて妻の老齢厚生年金の額が増えても夫婦の年金合計では損になることもあります（→次ページ）。

なお、この制度には特例があり、昭和26年4月1日以前生まれの人は厚生年金の加入期間が**20年に満たなくても、15年から19年で加給年金が受け取れません**（→下の表）。

第1号厚生年金の加入期間の特例（中高齢の特例）

●男性40歳、女性35歳以降の厚生年金の加入期間（共済年金は関係ない）。この特例を「中高齢の特例」といいます。

男性40歳、女性35歳以降の厚生年金の加入期間
昭和22年4月1日以前　　　　　　　　・・・15年
昭和22年4月2日〜昭和23年4月1日・・・16年
昭和23年4月2日〜昭和24年4月1日・・・17年
昭和24年4月2日〜昭和25年4月1日・・・18年
昭和25年4月2日〜昭和26年4月1日・・・19年

誕生日、加入期間が該当すると、加給年金は受け取れません。

 扶養される側が20年以上厚生年金に加入すると、振替加算は支給されなくなります。この加入期間は、一元化後は共済組合等各号の加入期間を合算

妻が厚生年金に20年加入した場合と19年加入した場合の比較

例 夫 昭和31年5月25日生まれ　妻 昭和36年5月3日生まれ

● 妻の給料20万円、妻は87歳（女性の平均寿命）で死亡すると仮定
（物価上昇等は加味しない）

❶ 妻が厚生年金にあと1年加入することによって生涯でもらえる年金の増加額（概算）

$200,000円 \times \dfrac{5.769}{1,000} \times 12か月 = 13,846円$ …もらう年金の増加額（1年あたり）

$13,846円 \times 22年 = \mathbf{304,612円}$ …87歳までにもらう年金の増加額
　　　　　65歳～87歳

❷ 妻の厚生年金の加入が20年に満たない場合にもらえる年金額（概算）

①加給年金（夫の年金に加算）
　夫65歳～70歳（妻が65歳で終了）の5年間
　408,100円×5年＝2,040,500円

②振替加算（妻65歳～87歳で死亡するまで
　（→98ページ））
　15,732円×22年＝346,104円

> このケースでは、加給年金、振替加算をもらうほうがトクとなることがわかります。
>
> ※厚生年金の加入年数、夫婦の生年月日により個人差あり。

①＋②＝**2,386,604円**…87歳までにもらう年金額（夫婦の合計）

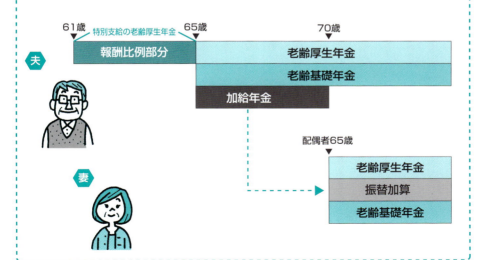

して判定することになりました。ただし、経過措置として、すでに受給している配偶者が、合算して20年以上になっても加給年金は支給停止されません。

振替加算①

65歳から妻に払われる

加給年金を振り替えるから振替加算という

妻（配偶者）が65歳になったとき、夫は加給年金をもらえなくなります。その代わりに、**妻（配偶者）自身の老齢基礎年金に一定額が加算されます**。これを振替加算といいます。ただし、加給年金と同額ではありません。

振替加算は、大正15年4月2日～昭和41年4月1日までに生まれた加給年金の対象となっている配偶者に対して行われます。ただし、妻（配偶者）が年収850万円以上である場合には生計を維持しているとは認められず、振替加算も行われません。

また、妻（配偶者）が、下記に該当する場合には、振替加算は行われません。

①20年以上の老齢厚生年金、退職共済年金を受け取れるとき

厚生年金、共済年金の加入期間をあわせて20年以上のときに限ります。中高齢の特例（→96ページ）に該当する場合は、40歳以降（女性は35歳）の厚生年金加入期間が15～19年以上のときです。

②障害厚生年金、障害共済年金を受け取れるとき

加給年金も振替加算も夫婦に払われると考えるとどちらが受け取っても同じですが、家族手当としてもらうことと、妻（配偶者）が直接受け取るということには、大きな違いがあります。

たとえば、妻が65歳になる前に夫が亡くなると、妻には振替加算はつきません。また、**離婚したときなど、夫に加給年金として払われていたものは、その時点で妻は受け取ることはできなくなります**。これに対して、妻が直接受け取っているものは、妻の年金としてそのまま受け取ることができるのです。

さらにいえば、振替加算は妻（配偶者）が65歳になったときに妻（配偶者）に加算されるので、**65歳前と65歳後に離婚した場合では、妻の年金受給額が異なります**。

離婚を考えている場合は、第6章の離婚分割もあわせて、タイミングなどをよく考えてからしなければなりません。

振替加算の額は徐々に少なくなっていく

振替加算の額は、**生計維持されていた**

 一元化前から振替加算が加算されている人が、一元化後、別の種別の加入期間を合算することにより20年以上になっても、振替加算は引き続き加算

配偶者（妻＝振替加算をもらえる人）の生年月日に応じて決まっており、若い人ほど少なくなっています（→下の図）。

以前は、国民年金に加入することは義務づけられていませんでした。多くの専業主婦が加入しなかったために、老齢基礎年金もあまりもらえないということが起こっています。このような人を救済する制度が振替加算です。

そのため、加入が義務づけられていなかった期間が長い人ほど額は高く設定されているのです。

昭和41年4月2日以降に生まれた人には振替加算はありません。

なぜなら、昭和41年4月2日以降に生まれた人は、40年間すべて加入しなければならない（強制加入）のであって、すべての期間で保険料を納めれば満額受給できるため、救済する必要がないからです。

振替加算額はいくらもらえるの？

振替加算がつく人の生年月日	年額	振替加算がつく人の生年月日	年額
大正15年4月2日 ～ 昭和 2年4月1日	234,100	昭和20年4月2日 ～ 昭和21年4月1日	115,411
昭和 2年4月2日 ～ 昭和 3年4月1日	227,779	昭和21年4月2日 ～ 昭和22年4月1日	109,325
昭和 3年4月2日 ～ 昭和 4年4月1日	221,693	昭和22年4月2日 ～ 昭和23年4月1日	103,004
昭和 4年4月2日 ～ 昭和 5年4月1日	215,372	昭和23年4月2日 ～ 昭和24年4月1日	96,683
昭和 5年4月2日 ～ 昭和 6年4月1日	209,051	昭和24年4月2日 ～ 昭和25年4月1日	90,597
昭和 6年4月2日 ～ 昭和 7年4月1日	202,965	昭和25年4月2日 ～ 昭和26年4月1日	84,276
昭和 7年4月2日 ～ 昭和 8年4月1日	196,644	昭和26年4月2日 ～ 昭和27年4月1日	77,955
昭和 8年4月2日 ～ 昭和 9年4月1日	190,323	昭和27年4月2日 ～ 昭和28年4月1日	71,869
昭和 9年4月2日 ～ 昭和10年4月1日	184,237	昭和28年4月2日 ～ 昭和29年4月1日	65,548
昭和10年4月2日 ～ 昭和11年4月1日	177,916	昭和29年4月2日 ～ 昭和30年4月1日	59,227
昭和11年4月2日 ～ 昭和12年4月1日	171,595	昭和30年4月2日 ～ 昭和31年4月1日	53,141
昭和12年4月2日 ～ 昭和13年4月1日	165,509	昭和31年4月2日 ～ 昭和32年4月1日	46,960
昭和13年4月2日 ～ 昭和14年4月1日	159,188	昭和32年4月2日 ～ 昭和33年4月1日	40,620
昭和14年4月2日 ～ 昭和15年4月1日	152,867	昭和33年4月2日 ～ 昭和34年4月1日	34,516
昭和15年4月2日 ～ 昭和16年4月1日	146,781	昭和34年4月2日 ～ 昭和35年4月1日	28,176
昭和16年4月2日 ～ 昭和17年4月1日	140,460	昭和35年4月2日 ～ 昭和36年4月1日	21,836
昭和17年4月2日 ～ 昭和18年4月1日	134,139	昭和36年4月2日 ～ 昭和41年4月1日	15,732
昭和18年4月2日 ～ 昭和19年4月1日	128,053	昭和41年4月2日～	0
昭和19年4月2日 ～ 昭和20年4月1日	121,732		

されます。

振替加算②

請求しなければもらえない

妻が年上だと損をする？

妻が65歳になって老齢基礎年金を受け取り始めても、夫に「定額部分」または老齢厚生年金の権利がない場合、妻は振替加算を受け取ることができません。

このケースでは、**夫が定額部分または老齢厚生年金を受け取る権利を得て、加給年金も受け取るようになった時点**で妻に振替加算が上乗せされます。

このとき、夫には加給年金を受け取る時期はありません。

妻よりも夫のほうが年下の場合には、次ページの例のかたちで年金を受け取ることになります。

基礎年金の受給資格がないと振替加算ももらえない

振替加算は、老齢基礎年金を受け取ることができる人に加算されるので、受給要件を満たしていない人は、振替加算も受け取ることができません。

また、保険料を払ったことがなく、合算対象期間（カラ期間）だけの人の場合、老齢基礎年金受給に必要な加入期間を満たしていても、老齢基礎年金の額はゼロになります。

しかし、この人が加給年金の対象となっている配偶者である場合、65歳になったとき振替加算が行われ、振替加算だけを老齢基礎年金として支給されることになります。

振替加算の請求には注意が必要

振替加算の手続きは、次のとおりです。
①妻（配偶者）が自分の年金を請求（裁定請求という→142ページ）するときに、裁定請求書に**『配偶者（夫）の年金証書の基礎年金番号・年金コード、配偶者の氏名および生年月日』**を記入します。これを記入しないと振替加算は行われません。
②妻が老齢基礎年金を受けた後、振替加算がもらえるようになったときは（妻が夫より年上の場合や妻が老齢基礎年金をもらえるようになった後、夫の厚生年金の加入期間が20年以上になったときなど）、「老齢基礎年金額加算開始事由該当届」を自分の老齢年金を請求したところと同じ窓口へ届出します。

 平成29年8月に、受給資格要件が25年から10年に短縮されました。これにより老齢基礎年金を受け取れるようになった人が65歳以上で、加給年金

加給年金と振替加算の受取りパターン

ケース1 妻が夫よりも年下の場合

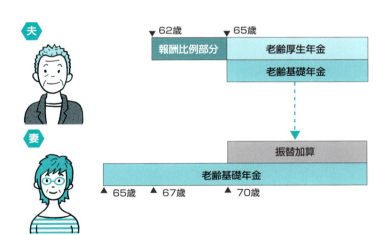

ケース2 妻が夫より年上の場合(妻は夫より5歳年上。65歳から老齢基礎年金を受給)

- 夫が老齢厚生年金を受け取れるようになったとき、妻に振替加算が行われます。
- 夫には加給年金を受け取る時期はありません。
- 夫が65歳で老齢厚生年金を受け取れるようになったとき(妻が70歳のとき)振替加算が行われ、老齢基礎年金+振替加算額の年金を受け取れるようになります。

の対象となる配偶者の場合、振替加算が加算されます。

在職老齢年金①

稼ぎが多いほど減額される

合計50万円までは減額されない

　老齢厚生年金を受け取る権利がある人が、働いて厚生年金に加入すると、会社からもらう給料・ボーナスに応じて年金が減額されます（「在職老齢年金」という）。

　報酬（給料＋12等分したボーナス）と年金の額によって、減額される額が決まっています（計算方法→105ページ）。

　以前は64歳までの人は、**「基本月額（年金月額）＋総報酬月額相当額（給料＋12等分したボーナス）」（→次ページ）が28万円超で減額される人がいました。2022年4月からは、65歳以降と同じ計算方法で減額されることになりました。そのため、減額されるケースが少なくなりました（→106ページ）。**

　計算する際には、加給年金、職域加算額は除きます。

　加給年金については、老齢厚生年金が一部でも支給される場合は、全額支給され、老齢厚生年金が全額支給停止される場合は、加給年金も支給されません。

　職域加算額は、受給している実施機関と同じ制度に加入している間は、報酬額にかかわらず、全額支給停止されます。

共済年金は合算して按分する

　公務員として働いていたこともあり、民間企業でも働いていた人のように、共済組合からも厚生年金からも老齢厚生年金が支給される人の場合、合算して基本月額とし、支給停止額を決定します。

　実際に支給停止されるのは、この支給停止額を各実施機関の厚生年金額に応じて按分した額になります。

　平成27年10月に、共済年金は厚生年金と統合されました。これにより、計算方法が変わり、これまでの受給額が減る人がいました。このような人を救済するために、激変緩和措置が講じられました。

　一元化後に受給権が発生した場合は、激変緩和措置はありません。また、激変緩和措置は、被保険者期間の資格を喪失したり、65歳に達したら終了です。そのため、この激変緩和措置の対象になる人はいなくなりました。

 共済年金も同様のしくみがありましたが、（在籍共済年金）計算方法は少し異なりました。平成27年10月に統合されてからは、本文のように計算

基本月額とは年金を月額に直したもの

- 報酬比例部分と定額部分を月額になおしたものを「基本月額」といいます（60歳〜64歳のとき）。65歳以降は老齢厚生年金を月額になおしたものです。
- 共済組合等複数の実施機関に加入していた人は、各制度の年金額を合算します。
- 基本月額を計算するときは、加給年金、職域加算額、経過的加算額は除きます。
- 職域加算額は、同じ実施機関に加入中は全額支給停止されます。

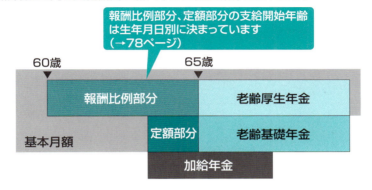

報酬比例部分、定額部分の支給開始年齢は生年月日別に決まっています（→78ページ）

総報酬月額相当額は給料＋12等分したボーナス

■標準報酬月額の求め方→59ページ

※厚生年金保険料額表は250ページ参照。

$$総報酬月額相当額 = その月の標準報酬月額 + \frac{直近1年間に受けたボーナスの合計}{12}$$

日本年金機構の資料をもとに加工

- 「直近1年間」とは、その月からさかのぼった12か月間をいいます。
- 上の例では前年4月〜3月に受けた給料と、6月、12月のボーナスで計算します。
- ボーナスの額は一定ではないので、在職老齢年金の支給額は、毎月計算しなおされています。
- ボーナスは1か月あたり150万円が上限です。

方法も統一されました。

在職老齢年金②

厚生年金に加入しない働き方を検討する

厚生年金に加入しなければ減額されることはない

働いてどれだけ高額の報酬をもらっていても、厚生年金に加入しなければ減額されることはありません。

年金を減額されない働き方として、以下の①〜④が考えられます。

①厚生年金に加入していない会社で働く（例：5人未満の個人経営の会社、個人経営の飲食業などで任意適用事業所になっていない会社）

②労働者としてではなく、独立自営業者として働く（例：システム開発など労働時間によらず、仕事の完成によって報酬を受け取る）

③厚生年金に加入しない範囲の労働時間、日数におさえる（例：週所定労働時間20時間未満におさえる（→56ページ））

④役員であれば非常勤で働く

加入要件を満たせば加入しなければならない

厚生年金には、加入要件（→56ページ）を満たせば本人や会社の意思とは関係なく加入しなければなりません。加入要件を満たしていながら加入せず、後で調査などによってわかった場合はさかのぼって加入しなければなりません。

この場合、最大2年間さかのぼって社会保険料を徴収されるだけでなく、**本来減額されるはずだった年金もさかのぼって返金しなければなりません**（→MEMO）。

年金受取り開始前後に届く書類の中には、「現在働いていますか」という項目があるものがあります。そのため、年金を受け取っている人が働いているかどうかの情報を、年金事務所が得ることは簡単です。

前年のボーナスが影響する

老齢厚生年金を減額するときの計算式には、前1年間のボーナスが影響します。

たとえば、定年退職し、再雇用されたときの給料が大幅に下がった場合でも、**前1年間のボーナスが高い場合は、高いままの計算で年金の減額を計算します**。

そのため、再雇用された直後の1年間は、年金が大幅に減額されることがよくあります。

104　　令和4年度の会計検査院の調査では33人が合計2,509万円の老齢厚生年金を返還しています。1人あたりに平均すると約52万円です（会計検査院ホーム

在職老齢年金の計算方法

- 老齢厚生年金を12で割って月額になおしたものを基本月額といいます。
- 厚生年金基金がある人は、なかったものとして計算します。
- 共済組合等、複数の実施機関に加入していた人は、各制度の年金額を合算します。
- 老齢基礎年金と経過的加算には影響なく、全額受け取ることができます。
- 基本月額を計算するときは、加給年金、職域加算額を除きます。加給年金は老齢厚生年金が全額停止されるときは、全額停止され、一部でも支給されるときは全額支給されます。

ケース1

総報酬月額相当額（→103ページ）と基本月額が50万円以下のとき

➡ **減額されません。**

ケース2

総報酬月額相当額と基本月額が50万円を超えるとき

➡ **超えた額の1／2が減額されます。**

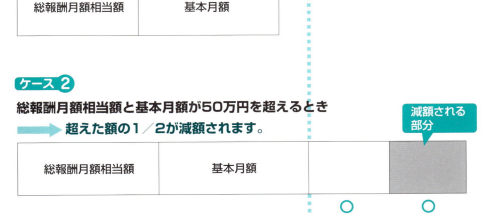

hint　共済年金に加入しても減額されない？

以前は、老齢厚生年金を受け取っている人が、働いて共済年金に加入しても、年金は減額されませんでした。
しかし、平成27年10月1日以降、共済年金は厚生年金に統一されました。それ以降は、老齢厚生年金を受け取っている人が、役所や私立学校などで働いて共済年金に加入すると、在職老齢年金の計算式で減額されるようになりました。

在職老齢年金③

50万円までなら減額されない

老齢基礎年金は減額されない

　これまで説明したとおり、老齢厚生年金を受け取る権利のある人が、働いて厚生年金に加入し、一定以上報酬を受け取ると、老齢厚生年金が減額されます。

　2022年4月からは、60歳台前半も60歳台後半と同じ計算式で減額されています。いずれも基本月額と総報酬月額相当額（→103ページ）の合計が50万円を超えない限り減額されません。**50万円を超えた場合に、超えた額の2分の1が減額**されます（→105ページ）。

加給年金は除いて計算する

　基本月額は、老齢厚生年金の額を12で割って月額に直します。老齢基礎年金や経過的加算は、基本月額には加えずに計算し、在職中でもその全額が支給されます。

　加給年金も加えずに計算しますが、老齢厚生年金が全額停止されるときは全額停止され、一部でも支給されるときは全額支給されます。

●厚生年金基金の加入期間がある人は、このとおりにはなりません。

	98,000	140,000	180,000	200,000
10,000	10,000	10,000	10,000	10,000
20,000	20,000	20,000	20,000	20,000
30,000	30,000	30,000	30,000	30,000
40,000	40,000	40,000	40,000	40,000
50,000	50,000	50,000	50,000	50,000
60,000	60,000	60,000	60,000	60,000
70,000	70,000	70,000	70,000	70,000
80,000	80,000	80,000	80,000	80,000
90,000	90,000	90,000	90,000	90,000
100,000	100,000	100,000	100,000	100,000
110,000	110,000	110,000	110,000	110,000
120,000	120,000	120,000	120,000	120,000
130,000	130,000	130,000	130,000	130,000
140,000	140,000	140,000	140,000	140,000
150,000	150,000	150,000	150,000	150,000
160,000	160,000	160,000	160,000	160,000
170,000	170,000	170,000	170,000	170,000
180,000	180,000	180,000	180,000	180,000
190,000	190,000	190,000	190,000	190,000
200,000	200,000	200,000	200,000	200,000
210,000	210,000	210,000	210,000	210,000
220,000	220,000	220,000	220,000	220,000
230,000	230,000	230,000	230,000	230,000
240,000	240,000	240,000	240,000	240,000
250,000	250,000	250,000	250,000	250,000
260,000	260,000	260,000	260,000	260,000
270,000	270,000	270,000	270,000	270,000
280,000	280,000	280,000	280,000	280,000

 どれだけ減額されるかは、自分で計算するとたいへんですが、早見表で見ると簡単です。色付けした部分は、働いても年金が減額されない部分です。

標準報酬月額の上限に注意する

総報酬月額相当額は、標準報酬月額と直近1年間のボーナスで決まります（→103ページ）。

計算する上では、**どちらも上限がある**ので注意が必要です。

例えば、社長の役員報酬が100万円の標準報酬月額は65万円です。また、1回の標準賞与額は、150万円が上限です。

なお、厚生年金基金の加入期間がある人は、一部の厚生年金部分を代行しているので、この表のとおりにはなりません。

● 総報酬月額相当額は103ページ参照。

240,000	260,000	300,000	340,000	380,000	400,000	440,000	460,000	500,000	520,000
10,000	10,000	10,000	10,000	10,000	10,000	10,000	10,000	0	0
20,000	20,000	20,000	20,000	20,000	20,000	20,000	20,000	0	0
30,000	30,000	30,000	30,000	30,000	30,000	30,000	30,000	0	0
40,000	40,000	40,000	40,000	40,000	40,000	40,000	40,000	20,000	0
50,000	50,000	50,000	50,000	50,000	50,000	50,000	45,000	25,000	0
60,000	60,000	60,000	60,000	60,000	60,000	60,000	50,000	30,000	20,000
70,000	70,000	70,000	70,000	70,000	70,000	65,000	55,000	35,000	25,000
80,000	80,000	80,000	80,000	80,000	80,000	70,000	60,000	40,000	30,000
90,000	90,000	90,000	90,000	90,000	90,000	75,000	65,000	45,000	35,000
100,000	100,000	100,000	100,000	100,000	100,000	80,000	70,000	50,000	40,000
110,000	110,000	110,000	110,000	110,000	105,000	85,000	75,000	55,000	45,000
120,000	120,000	120,000	120,000	120,000	110,000	90,000	80,000	60,000	50,000
130,000	130,000	130,000	130,000	125,000	115,000	95,000	85,000	65,000	55,000
140,000	140,000	140,000	140,000	130,000	120,000	100,000	90,000	70,000	60,000
150,000	150,000	150,000	150,000	135,000	125,000	105,000	95,000	75,000	65,000
160,000	160,000	160,000	160,000	140,000	130,000	110,000	100,000	80,000	70,000
170,000	170,000	170,000	165,000	145,000	135,000	115,000	105,000	85,000	75,000
180,000	180,000	180,000	170,000	150,000	140,000	120,000	110,000	90,000	80,000
190,000	190,000	190,000	175,000	155,000	145,000	125,000	115,000	95,000	85,000
200,000	200,000	200,000	180,000	160,000	150,000	130,000	120,000	100,000	90,000
210,000	210,000	205,000	185,000	165,000	155,000	135,000	125,000	105,000	95,000
220,000	220,000	210,000	190,000	170,000	160,000	140,000	130,000	110,000	100,000
230,000	230,000	215,000	195,000	175,000	165,000	145,000	135,000	115,000	105,000
240,000	240,000	220,000	200,000	180,000	170,000	150,000	140,000	120,000	110,000
250,000	245,000	225,000	205,000	185,000	175,000	155,000	145,000	125,000	115,000
260,000	250,000	230,000	210,000	190,000	180,000	160,000	150,000	130,000	120,000
265,000	255,000	235,000	215,000	195,000	185,000	165,000	155,000	135,000	125,000
270,000	260,000	240,000	220,000	200,000	190,000	170,000	160,000	140,000	130,000

この部分は、働き方によっては減額されないことがわかります。

第4章 老齢年金のしくみ

在職老齢年金④

定年退職では取得と喪失を同じ日で提出する

3か月待つことなく報酬が下がる

支給停止額を計算するうえで、毎月の「標準報酬月額（→58ページ）」は重要です。

定年退職後、再雇用されると、給料が大幅に下がることがあります。固定的な給料が大幅に下がった場合、通常は、下がってから3か月間の給料を平均し、2等級以上下がったとき、4か月目から改定されます（→59ページ）。

しかし、定年退職で給料が下がった場合は特例として、同じ日付で「資格喪失届」と「資格取得届」を提出することができます（1日も空くことなく同じ会社に再雇用される場合）。これにより、3か月待つことなく、下がった給料ですぐに年金の支給停止額が計算されます。

この特例は、「60歳以上で退職後、継続して再雇用される人」が対象です。65歳以上の人や老齢厚生年金を受け取る権利がない人も、対象になっています。

上記の手続きが遅れた場合など、日本年金機構のコンピュータに反映されるまでに時間がかかることがあります。

また、年金は前月までの2か月分を偶数の月に受け取ります。

そのため、定年退職後手続きをしても、年金額にはすぐに反映されないことがあります。

退職したら1か月後に年金が改定される

働いて厚生年金に加入した期間は年金額に反映されます。ただし、65歳未満の人は働いている間は改定されず、退職して1か月を経過した月から、年金額に反映されます。

退職した月に就職したときは、退職時改定は行われませんが、公務員を退職し、その月に会社員として就職したときのように、種別の異なる厚生年金（→22ページ）に加入したときは改定されます。

65歳になると、それまでの加入期間を再計算され、それ以降は毎年9月1日を基準として、前月までの加入期間をもとに10月から改定されます（在職定時改定）。

また、70歳未満の方が70歳に到達したときは、それまでの期間を再計算されます。

 共済との一元化により、退職による年金額の改定日は、共済年金にそろえました。その結果、「退職日の翌日から1か月を経過した日の属する月」か

定年退職等で給料が下がったときの在職老齢年金

定年退職後すぐに再雇用され、給料が下がったときなどは特例がある。

例 5月20日で定年退職。5月21日に再雇用。
6月支給分の給料より35万円から25万円にダウン

ケース1 通常の月額変更

	4月	5月	6月	7月	8月	9月	10月
給料	35万円	35万円	25万円	25万円	25万円	25万円	25万円

8月まで35万円の標準報酬月額は変わらないため、35万円で計算します。

6月、7月、8月の給料を平均して9月から25万円に下がります。

ケース2 特例を利用（同じ日に喪失、取得する）

	4月	5月	6月	7月	8月	9月	10月
給料	35万円	35万円	25万円	25万円	25万円	25万円	25万円

5月まで35万円で計算します。

6月から25万円で計算します。

●年金の減額を計算するときは、直前1年間のボーナスを12等分して加えます。

老齢厚生年金の年金額に算入される期間

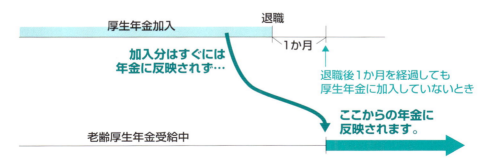

※65歳以上70歳未満の人は毎年10月に改定される。
※老齢厚生年金の繰上げ支給を受けている場合は、このとおりにならない。
　退職1か月を経過しても年金に反映されず、65歳のときに反映される。

ら「退職日から1か月を経過した日の属する月」に年金額を改定することになりました。月末退職では、1か月違ってきます。

60歳〜64歳の併給調整

さらに減額されることもある

年金を受け取れるとき加給年金は全額支給される

　年金がどれくらい減額されるかを計算するときは、加給年金（→94ページ）を除いて計算します。その結果、年金が少しでも受け取れるときは、加給年金も全額受け取ることができます。一方、年金の支給が全額停止になると、加給年金も支給停止になります。

　加給年金の受給は、定額部分の支給と同時です。今後60歳になり、年金の受給が始まる男性は定額部分を受け取る期間がありません（→79ページ）。そのため、老齢厚生年金を受け取る65歳にならないと加給年金はもらえません。

厚生年金基金の計算はそれぞれ異なる

　厚生年金基金に加入していた期間がある人は、基金代行部分（→次ページ）があるため、国から受け取る部分だけを計算しても正しい額がわかりません。

　計算方法は、それぞれの厚生年金基金で異なります。加入していた厚生年金基金に問い合わせてみましょう。

高年齢雇用継続給付と併給できるが減額される

　60歳〜64歳までの老齢厚生年金をもらう権利がある人がハローワークから「高年齢雇用継続基本給付金」または「高年齢再就職給付金」（両方をあわせて高年齢雇用継続給付という）（→112ページ）を受け取ると、その間はさらに年金が減額されます。

　月給が、「60歳到達時賃金月額」の61％以下に下がったときに最も多く減額され、その額は、〔標準報酬月額×6％〕で計算します。

　たとえば月給が30万円の人であれば、18,000円が減額されます。

　「60歳到達時賃金月額」の75％以上月給をもらう月や370,452円（毎年8月改定）以上もらう月は年金の減額もありません（高年齢雇用継続給付はもらえない）。

　下がった賃金の割合が、61％から75％の間の場合は、その割合に応じた支給停止率になります（→次ページ）。

　減額されるのは、これらの給付金ではなく、老齢厚生年金のほうです。

 厚生年金と旧共済年金の両方を受け取る場合は、一元化により、合計額から支給停止額を算出し、占める割合によって支給額を按分します。

厚生年金と厚生年金基金の関係

- 厚生年金基金は厚生年金の一部を代行しています。
- 減額される額を計算するうえでは、国から払われる部分から優先して減額されます。

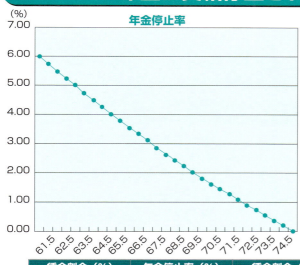

厚生年金基金 ↕ 上乗せ部分（基金から払われる）
厚生年金 ↕ 基金が代行する部分（基金から払われる）
↕ 国から払われる部分

年金が支給停止される率

- 高年齢雇用継続基本給付金、高年齢再就職給付金をもらう月に減額されます。
- その月の標準報酬月額に年金停止率を掛けて計算します。
- 賃金割合とは、60歳到達時賃金月額に対する給料の割合です。

賃金割合（％）	年金停止率（％）	賃金割合（％）	年金停止率（％）
61.0 以下	6.00	68.5	2.48
61.5	5.74	69.0	2.27
62.0	5.48	69.5	2.07
62.5	5.23	70.0	1.87
63.0	4.98	70.5	1.67
63.5	4.73	71.0	1.47
64.0	4.49	71.5	1.28
64.5	4.26	72.0	1.09
65.0	4.02	72.5	0.90
65.5	3.79	73.0	0.72
66.0	3.56	73.5	0.53
66.5	3.34	74.0	0.35
67.0	3.12	74.5	0.18
67.5	2.90	75.0	0.00
68.0	2.69	—	—

※年金停止率は、令和7年4月に引き下げられる。

第4章 老齢年金のしくみ

60歳〜64歳の高年齢雇用継続基本給付金

ハローワークからも
お金がもらえる

75%未満にダウンすればもらえる

　60歳以降も働き続けて給料が下がった場合は、下がった率に応じてハローワークからお金が支給されます。これを高年齢雇用継続基本給付金といいます。

　61%以下に下がったときが最大で、**下がった給料の15%を受け取れます**。下がった給料に15%を掛けて計算するので、下がれば下がるほど多く受け取れるというわけではありません。

　なお、60歳以降に受け取った賃金が370,452円以上であると、その月は対象になりません（毎年8月に改定される）。

　60歳〜65歳になる直前までの5年間受け取る権利があり、それぞれの月ごとに低下率に応じて給付金の計算をします。

直前6か月を平均する

　「60歳到達時賃金」とは、60歳に到達する直前6か月の給料を平均したもので、残業代や通勤手当なども含まれます。

　ただし、60歳になった時点で勤続5年に満たない場合は対象になりません。

この場合は、**5年に達したときに直前6か月の平均を計算して「60歳到達時賃金」とし**、それ以降に給料が下がれば受け取ることができます。

　定年で給料が下がるのは60歳に到達する前後であることが多く、勤続5年に達したときにはすでに下がっていることがよくあります。その結果、この制度を活用することができないことが多いので注意が必要です。

　ここでいう「勤続5年以上」は在籍会社だけでなく、転職前の期間を通算することができます。この場合、前職を退職後1年以内に再就職していて、失業保険や再就職手当などをもらっていなかったことが要件になります。

転職しても使える

　この制度は、**60歳の前と後で働く会社が異なっても要件にあえばもらえます**。60歳で退職し、その後別の会社に再就職した場合などがこれに該当します。

　前職を退職後1年以内に再就職していて、失業保険や再就職手当などをもらっていなかったことが要件になります。

 高年齢雇用継続給付の支給限度額は、総務省による「毎月勤労統計調査」の平均給与額の増減によって、毎年8月に変更されます。

高年齢雇用継続基本給付金のしくみ

- 6か月の給料を平均する
- 基準はこの給料となります。
- 残業などで給料が高かった場合でも、高いまま計算される（上限486,300円）。
- 60歳
- 75%未満に低下した場合に給付が受けられます。

受給資格（①②ともあてはまる場合）

①60歳以上65歳未満の雇用保険加入者
②勤続5年以上（前職を退職後1年以内に再就職していて、失業保険や再就職手当などを受けなかった場合は通算する）

支給期間

60歳に到達した月から65歳に到達する月まで

以下の要件をすべて満たす月に支給される

①1日から末日まで被保険者である
②支払われた賃金が60歳到達時よりも75%未満に低下している
③支払われた賃金が上限（370,452円：毎年8月に改定）を超えていない
④育児休業給付、介護休業給付の支給対象ではない

支給額（2,196円以下は支給されない）
〔低下率＝60歳以降の賃金÷60歳到達時の賃金×100〕

①低下率61%以下の場合：その月に払われた賃金×0.15
②低下率61%超〜75%未満の場合：下記の支給率早見表にあてはめる
③低下率75%以上：支給されない

※令和7年4月からは、支給率が引き下げられる。

■支給率早見表

低下率	支給率	低下率	支給率	低下率	支給率
75.00%以上	0.00%	70.00%	4.67%	65.00%	10.05%
74.50%	0.44%	69.50%	5.17%	64.50%	10.64%
74.00%	0.88%	69.00%	5.68%	64.00%	11.23%
73.50%	1.33%	68.50%	6.20%	63.50%	11.84%
73.00%	1.79%	68.00%	6.73%	63.00%	12.45%
72.50%	2.25%	67.50%	7.26%	62.50%	13.07%
72.00%	2.72%	67.00%	7.80%	62.00%	13.70%
71.50%	3.20%	66.50%	8.35%	61.50%	14.35%
71.00%	3.68%	66.00%	8.91%	61.00%以下	15.00%
70.50%	4.17%	65.50%	9.48%	―	―

60歳～64歳の高年齢再就職給付金・再就職手当

再就職手当と比べて有利なほうを選択する

違いは失業保険をもらったかどうか

勤続5年以上の人が退職し、失業保険を残して60歳以降に再就職したときは、高年齢再就職給付金がもらえます。

高年齢再就職給付金も高年齢雇用継続基本給付金と同じように**賃金の低下率に応じてお金がもらえる**ものです。下がった賃金の上限や給付金の計算式も同じです。

高年齢雇用継続基本給付金との違いは、いったん退職して失業保険（基本手当という）をもらったかどうかです。つまり、失業保険を少しでももらったら再就職給付金、もらわなかったら雇用継続基本給付金ということになります。

どちらの制度も、原則として1年以内に再就職していなければ対象になりません（退職後2か月以内に申請すれば期限は延長できる→118ページ）。

また、高年齢雇用継続基本給付金は60歳から65歳になる直前までの5年間であるのに対し、高年齢再就職給付金は、**失業保険の残日数に応じて1年間または2年間です**（65歳になる前までが上限）。

再就職手当は年金と調整されない

再就職手当は、失業保険（基本手当）をもらっている途中で安定した職業についたり、事業を開始した場合にもらうものです（60歳未満でももらえる）。

再就職手当と高年齢再就職給付金は、再就職したときにもらえるという点では同じですが、趣旨が異なります。

両方をもらうことはできないので、どちらか1つを選択することになります。どちらが得かは再就職後の賃金や、老齢年金の額などによって異なるので一概にはいえません。

高年齢再就職給付金をもらっている間は、もらう給料によっては、老齢年金（特別支給の老齢厚生年金）が減額されます（→110ページ）。

これに対し、再就職手当をもらっても老齢年金が減額されることはありません。さらに、再就職後6か月以上雇用されることを条件に、就業促進定着手当が上乗せされる可能性もあります。

一度選択すれば変更することはできないため、よく考えて選ぶ必要があります。

 離職時賃金日額■高年齢再就職給付金計算のもとになる賃金日額で、原則として退職直前の6か月間の賃金を180日で割って計算します。失業保険

高年齢再就職給付金

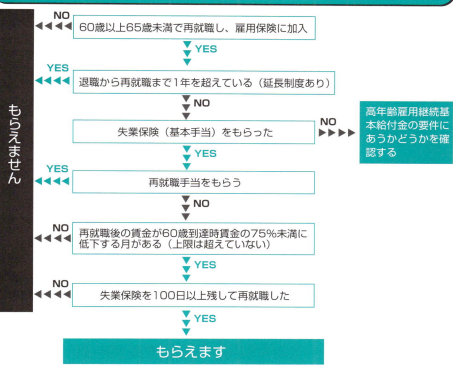

高年齢再就職給付金と再就職手当の違い

	高年齢再就職給付金	再就職手当
概要	再就職したときの賃金が、退職時の賃金よりも75%未満に低下したとき	失業保険を1/3以上残して、安定した職業に就いた、または事業を開始したとき
もらい方	失業保険の残日数が200日以上は2年間、100日以上200日未満は1年間（65歳になる月までが上限）	一括
受給額	退職時の賃金と比較した低下率に応じて最高は支払い賃金×15%（高年齢雇用継続基本給付金と同じ。給付金2,196円以下は支給されない）	基本手当日額×支給残日数×60〜70%（基本手当日額には上限あり）
併給調整	もらう月は、老齢厚生年金が減額される（→110ページ）	老齢厚生年金は減額されない

を受け取る際も、この日額を使います。

60〜64歳の失業保険との併給調整

失業保険と老齢年金の両方はもらえない

定年退職は勤続20年で5か月分もらえる

　失業保険は、退職日以前2年間に被保険者期間が12か月以上（解雇・倒産などは1年間に6か月以上）ある人が、ハローワークに離職票を提出し「求職の申し込み」をしてもらいます（→119ページ）。おおよその計算方法は、次ページのとおりです（上限あり）。

　基本手当日額は、給付日数1日あたりの金額です。これに次ページの給付日数を掛けた額の失業保険をもらうことができます。日数は、退職日の年齢と勤続年数によって決まっています（→次ページ）。

失業保険の申し込みで老齢厚生年金の支給が止まる

　60歳〜64歳で老齢年金（特別支給の老齢厚生年金）を受け取っている人は、失業保険（基本手当）と両方を受け取ることはできません。どちらかを選択することになります。

　具体的には離職票をハローワークに持参して失業保険の申し込み（「求職の申し込み」という）をすると、翌月から特別支給の老齢厚生年金の支給が停止され、その後、失業保険の受給が終了した月まで停止されます。支給停止されるのは、基本手当をもらっている期間だけで、傷病手当などをもらっても支給停止されません。

　厚生年金基金に加入している人は、支給が停止されるかどうかは厚生年金基金それぞれの規約によります。問い合わせてみましょう。

失業保険をもらわなかった月は老齢年金を受給できる

　「求職の申し込み（→119ページ）」をして、年金の支給が停止された場合でも、失業保険を1日ももらわなかった月は、年金を受け取ることができます。この分は、約3か月後に支給されます。

　また、「求職の申し込み」をしても、すぐには失業保険をもらえない、待期（7日間）・給付制限（自己都合のときは2か月）の期間があります。これらの期間は、いったん年金の支給が停止されますが、他の失業保険をもらわなかった日とトータルして、後で精算され、支給されます（合計1か月未満は切り捨て）。

 旧共済年金から支給される、3階部分である「職域年金相当部分」は、失業保険を受給していても支給されます。

失業保険の受取り額計算例

月給36万円、受給日数150日の場合（ボーナスは除く）

$$\frac{\text{最後の6か月間の月給のトータル}}{180日} = 12,000円 \cdots 賃金日額（最低限度、最高限度あり）$$

賃金日額×45%＝5,400円・・・基本手当日額（給付日数1日あたりの額）

↑
給料に応じて45〜80%　給料が高いほど低い。60歳以上の人で給料約1万円以上は45%

失業保険のトータル　　5,400円×150日＝810,000円
1か月あたりの失業保険　5,400円×30日＝162,000円

第4章　老齢年金のしくみ

■**失業保険の給付日数**
- 法律上、誕生日の前日が満年齢となる
- 年齢、勤続年数は退職日で判断する
- 障害者などは日数が異なる

1. 自己都合退職、懲戒解雇、定年退職などの場合

区分 \ 被保険者であった期間	1年未満	1年以上5年未満	5年以上10年未満	10年以上20年未満	20年以上
65歳未満	―	90日	90日	120日	150日

2. 倒産、解雇、退職勧奨、特定受給資格者などの場合

区分 \ 被保険者であった期間	1年未満	1年以上5年未満	5年以上10年未満	10年以上20年未満	20年以上
30歳未満	90日	90日	120日	180日	―
30歳以上35歳未満	90日	120日	180日	210日	240日
35歳以上45歳未満	90日	150日	180日	240日	270日
45歳以上60歳未満	90日	180日	240日	270日	330日
60歳以上65歳未満	90日	150日	180日	210日	240日

資料出所：厚生労働省職業安定局

失業保険の延長制度

すぐにもらわないなら延長しておく

受給期間は延長することができる

失業保険をもらう期限は、原則として1年です。1年以内にもらいきれなかった分は、もらえなくなります（給付日数330日の場合は1年＋30日まで）。

本来、失業保険は、働く意思と能力がありながら就職できないときに、もらうことができるものです。次の理由に該当するときは、ハローワークに申し出て、受給期間を延長してもらうことができます（受給期間の延長）。

①定年退職後すぐに働かずに、しばらく休んだ後で職探しをする場合……60歳以上で定年または再雇用の期限が来たために退職した人が対象。本来の1年に1年を加えた最大2年まで

②病気、けが、妊娠、出産、育児（3歳未満）、親族の看護などによって30日以上働けない場合（60歳未満の若い人も使える）……本来の1年に3年を加えた最大4年まで

この申し出は、**延長後の受給期間の終了日までにしなければなりません（①については2か月以内）**。また、120ページで説明する「65歳以上での退職者」に延長制度はありません。

被保険者期間の判定のしかた

- 失業保険を受給するには退職日以前2年間に被保険者期間が12か月以上（倒産・解雇などは1年間に6か月以上）あることが要件となります。
- 1か月とは、退職日からさかのぼった1か月ごとに働いた日（年次有給休暇、休業手当が支給された日を含む）が11日以上または80時間以上ある月をカウントします。

例 12月20日付で退職　　　　　　　　　　　　　　　　　　　　12/20

	4月度	5月度	6月度	7月度	8月度	9月度	10月度	11月度	12月度
出勤日数	11日	10日	9日	13日	12日	11日	9日	7日	8日
判定	○	×	×	○	○	○	×	×	×

離職票■会社を退職したとき、会社の離職証明書に基づいて、ハローワークが交付します。失業保険を受給するには、まず住所を管轄するハローワ

失業保険と老齢年金の支給調整

例 自己都合退職、懲戒解雇の場合

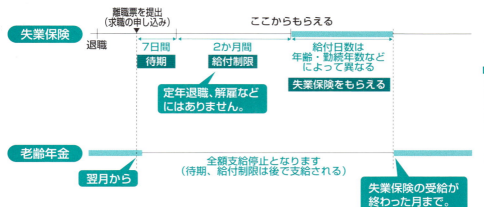

受給期間の延長

例 12月20日定年退職

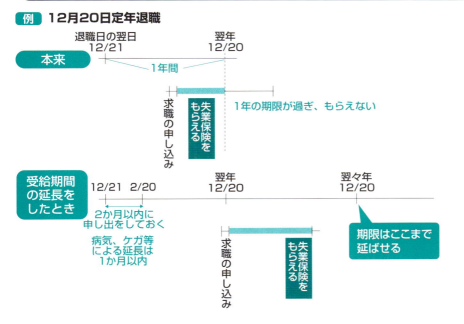

65歳からの失業保険

65歳直前に退職すれば一挙両得

65歳以降の上限はない

以前は、65歳以降に新たに雇用される人は、雇用保険に加入しませんでした。平成29年1月からは法改正により、加入要件を満たせば加入することになりました。

また、令和4年1月からは、2か所以上で働く65歳以上の人は、1か所では加入要件を満たさなくても、合算すれば加入要件を満たすのであれば、加入することができるようになりました。

65歳以降に退職したとき、失業保険のもらい方は次のように、65歳前とは大きく異なります。

なお、65歳前の制度と後の制度のいずれの制度が適用されるかは、退職日の満年齢で判断します。年金制度同様、「誕生日の前日」が満年齢に到達する日です。

①**給付日数**

65歳以降に退職するとかなり日数が少なくなります（→次ページ）。

②**もらい方**

65歳未満の場合は、4週間に1度ハローワークに行って「失業の認定」を受けることによって、直前4週間の分をもらうのに対し、65歳以降は1度の「失業の認定」によってまとめてもらいます。

③**年齢の上限**

65歳以降であれば、上限はありません。70歳、72歳などでも受給できます。ただし、退職後1年以内という期限があるので、給付日数が残っていても、期限後の分をもらうことはできません。

受給調整されるのは65歳になる直前まで

「老齢厚生年金と失業保険の両方をもらうことができない」（→116ページ）という決まりは、60歳から65歳になる直前までです。**失業保険を65歳以降にもらっても、老齢厚生年金に影響はありません。**

一方、失業保険の給付日数は65歳を境に大幅に少なくなります。

これらを考え合わせると、65歳前後に退職する人は、次ページのように**65歳になる直前に退職する**方法が考えられます。

ただし、定年退職などは2か月間の給付制限（→次ページ）がないことも、考え合わせましょう。

 次のいずれにも該当しなければ雇用保険には加入できません。①31日以上引き続き雇用の見込み、②週の所定労働時間が20時間以上

65歳以降の失業保険のもらい方

```
退職 → 離職票を提出(求職の申し込み) → 7日間 待期 → 2か月間 給付制限 → 指定された日にハローワークへ行く(失業の認定日) まとめて1回でもらう → 退職の翌日から1年以内 受給期間の延長はできない
```

定年退職、解雇などはありません。

■65歳前後の失業保険の給付日数

区分	被保険者であった期間	1年未満	1年以上5年未満	5年以上10年未満	10年以上20年未満	20年以上
自己都合退職、懲戒解雇、定年退職などの場合	65歳未満	—	90日	90日	120日	150日
	65歳以上	30日	50日			
倒産、解雇、退職勧奨、特定受給資格者などの場合	60歳以上65歳未満	90日	150日	180日	210日	240日
	65歳以上	30日	50日			

65歳前後の老齢年金との関係

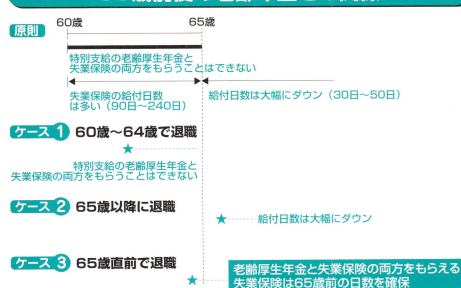

原則 60歳〜65歳
特別支給の老齢厚生年金と失業保険の両方をもらうことはできない
失業保険の給付日数は多い(90日〜240日)
給付日数は大幅にダウン(30日〜50日)

ケース1 60歳〜64歳で退職
特別支給の老齢厚生年金と失業保険の両方をもらうことはできない

ケース2 65歳以降に退職
給付日数は大幅にダウン

ケース3 65歳直前で退職
老齢厚生年金と失業保険の両方をもらえる
失業保険は65歳前の日数を確保

70歳からの在職支給停止

70歳以降も働けば減額される

在職老齢年金制度で計算される

老齢厚生年金を受け取る権利がある人が働くと減額される「在職老齢年金」の制度（→102ページ）は、以前は70歳になる前まででした。しかし、平成19年4月に法改正され、**70歳以降も60歳台の制度と同じ計算式で減額される**ことになりました。

対象者は、この時点で70歳未満の昭和12年4月2日以降に生まれた人に限られていましたが、平成27年10月に一元化されてからは、それ以前に生まれた人も対象になりました。

手続きは一般の被保険者と同様に行う

70歳以降は、原則として、厚生年金に加入しません。そのため「加入はしないが、減額の対象になる」という複雑な制度になっています（健康保険は引き続き加入）。

被保険者が70歳になると会社は「資格喪失届70歳以上被用者該当届」を日本年金機構に提出します。

ただし、引き続き同じ会社で働く人で、標準報酬月額が同じ場合は、平成31年4月以降、届出する必要がなくなりました。

給料（標準報酬月額）が変わる場合は、年金の減額が変わるので、これまでどおり届出が必要です（→次ページ）。

70歳以降の就職も注意する

70歳以降に就職するときは要注意です。要件を満たせば、年金が減額される可能性があります。会社は、「70歳以上被用者該当届」の提出が必要で、老齢厚生年金は、在職老齢年金の計算で減額されます。

いずれの場合も対象者は、厚生年金の加入要件を満たす人です（→56ページ）。

70歳以降被用者の届出が必要な人
次の要件をすべて満たす人が対象となる。
- 70歳以上の人
- 新たに厚生年金適用事業所に雇用される人
- 過去に厚生年金保険の加入期間がある人
- 厚生年金加入要件を満たす人（→56ページ）

 共済組合に加入している人も、厚生年金に一元化されたので、70歳以上で働いて、加入要件を満たせば同様に減額されます。

厚生年金保険 70歳以上被用者 該当届

この用紙は、70歳に到達した後も引き続き同じ会社で働く人で、標準報酬月額が変わる場合に提出します。

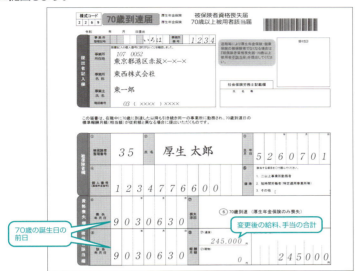

厚生年金保険 70歳以上被用者不該当届

この用紙は、退職したときに提出しますが、75歳に到達したときも提出します（75歳以降は後期高齢者医療制度の被保険者になる）。

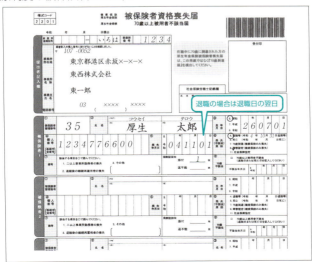

老齢基礎年金の全部繰上げ（本来65歳→最大60歳まで）①

年金を早くからもらうと生涯減額される

年金をもらい始める年齢を選択できる

老齢基礎年金を受け取るのは原則65歳になったときです。しかし、本人の希望により、年金を受け取り始める年齢を選択することができます。

老齢基礎年金を65歳より早くもらうことを「繰上げ受給」、65歳より遅くもらうことを「繰下げ受給」といいます。

繰下げは月単位でできます。

また、「一部繰上げ」は、昭和16年4月2日～昭和24年4月1日生まれの男性と昭和21年4月2日～昭和29年4月1日生まれの女性だけが選択できましたが、すでに「繰上げ」の年齢を超えているため、本書では割愛しています。

生年月日により減額率は異なる

繰上げ受給を選択できるのは、老齢基礎年金の受給資格期間を満たした60歳以上65歳未満の人です。任意加入をしている人はできません。

繰上げ受給を選択した場合、繰り上げた月数に応じて**1か月あたり0.5％の年金額が減額されます**。つまり、1年で6％の減額となります。昭和37年4月2日以降生まれの方は月0.4％）。

「全部繰上げ」の老齢基礎年金の額は、〔繰上げ前の老齢基礎年金×（1－0.5％×繰上げ請求月から65歳になる前月までの月数）〕となります。

減額率は生涯続く

この減額率は、昭和37年4月1日以前生まれの人に適用されます。それ以降の人は、0.4％です。本書では現時点で60歳台前半の人の多数である0.5％で記載しています。

一度決まったこの減額率は、65歳以降も変わりません。**繰上げ受給を選択したとき、減額された年金が生涯続き、変更できない**ので、注意が必要です（その他のデメリット→129ページ）。

なお、男性昭和28年4月1日以前生まれ、女性昭和33年4月1日以前生まれの人の場合は、繰上げ請求できるのは老齢基礎年金だけです。報酬比例部分と「65歳以降の老齢厚生年金」は繰上げ受給できません。

 繰上げは、原則として、老齢基礎年金と老齢厚生年金を同時に繰上げ請求する必要があります。

繰上げ受給のかたち

- 国民年金（老齢基礎年金）だけの人はこのかたちになります（振替加算は対象者のみ。要件は98ページ）。
- 「全部繰上げ」の老齢基礎年金額は、〔繰上げ前の老齢基礎年金×（1−0.5％×繰上げ請求月から65歳になる前月までの月数）〕で計算されます。
- この減額率は、昭和37年4月1日以前生まれの人に適用され、それ以降の人は0.4％です（ここでは0.5％で表示）。

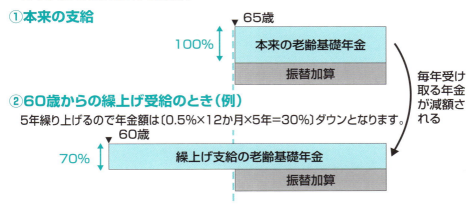

① 本来の支給

② 60歳からの繰上げ受給のとき（例）
5年繰り上げるので年金額は〔0.5％×12か月×5年＝30％〕ダウンとなります。

繰上げ受給の支給率早見表（65歳時を100％とした場合）

※昭和37年4月2日生まれ以降は、月0.4％に緩和される。　　　　　　　　　　　　（％）

	0月	1月	2月	3月	4月	5月	6月	7月	8月	9月	10月	11月
60歳	70	70.5	71	71.5	72	72.5	73	73.5	74	74.5	75	75.5
61歳	76	76.5	77	77.5	78	78.5	79	79.5	80	80.5	81	81.5
62歳	82	82.5	83	83.5	84	84.5	85	85.5	86	86.5	87	87.5
63歳	88	88.5	89	89.5	90	90.5	91	91.5	92	92.5	93	93.5
64歳	94	94.5	95	95.5	96	96.5	97	97.5	98	98.5	99	99.5

月単位で繰上げ受給でき1月あたり0.5％減額される。

減額率＝0.5％×繰上げ請求月から65歳になる月の前月までの月数

表のみかた

65歳のときを100％とし、繰上げ受給する際の年齢と月数のところを見る。

例：61歳ちょうどのときは76％。

老齢基礎年金の全部繰上げ（本来65歳→最大60歳まで）②

76歳8か月より寿命が短いと繰上げが得

損か得かは人により異なる

繰上げ受給が損か得かは一概にはいえません。

減額された年金が生涯続くので、簡単にいってしまえば、寿命が長い人は損、短い人は得ということになります。

繰上げの場合の年金受取り累計額は、繰上げをしてから16年8か月で、通常どおりに年金をもらった場合の年金受取り累計額のほうが多くなります（昭和37年4月1日以前生まれの場合）。

たとえば、60歳で繰上げを請求すれば、**76歳8か月で、65歳から年金をもらった場合の受取累計額のほうが多くなります**（→次ページ。物価上昇率や少子高齢化の進み具合による上昇などは加味していない）。

ここでは、昭和37年4月1日以前生まれの場合で記載しています。

請求をすれば翌月から受け取れる

繰上げの請求（一部繰上げも同じ）をした年金は、翌月分から支給されます。ただし、2か月分をまとめて2月～12月に支給されます。

満年齢は誕生日の前日

年金制度では、満年齢は誕生日の前日で計算します。また、年金としてもらう「1か月」とは1日から月末までをいいます。

そのため、4月2日～5月1日生まれの人が4月中に請求すると、ちょうど満年齢での請求になります。

老齢基礎年金だけをもらう人が繰上げをするときは、60歳から65歳になるまでの希望時、「年金請求書（裁定請求書）」（→232ページ）と「老齢基礎年金支給繰上げ請求書」を提出します。

特別支給の老齢厚生年金をもらう人が老齢基礎年金を繰上げする場合は、「特別支給の老齢厚生年金受給権者老齢基礎年金支給繰上げ請求書」を提出します。年金請求と同時に繰上げする場合には、「年金請求書（裁定請求書）」と一緒に提出します。

請求先は、老齢年金の裁定請求先と同じです（→142ページ）。

 平均余命■ある年齢の人が、あと何年生きられるかという年数をいいます。令和4年の0歳の平均余命は、男性81.05年、女性87.09年となっています。

繰上げ受給は損？ それとも得？

- 繰上げ受給を請求した場合、支給開始年齢から約17年が損益分岐点となります。この表では、右端の本来の支給と累計を比較すると、色をつけたところが少なくなっています。
- ここでは昭和37年4月1日以前生まれ（減額率月0.5％）で計算しています。

ケース 昭和37年4月1日以前生まれ
65歳時の老齢基礎年金が満額の816,000円の場合の繰上げ受給累計額

支給開始年齢	繰上げ支給 60歳	61歳	62歳	63歳	64歳	本来の支給 65歳
支給率	70%	76%	82%	88%	94%	100%
60歳	571,200円	－	－	－	－	－
61歳	1,142,400円	620,160円	－	－	－	－
62歳	1,713,600円	1,240,320円	669,120円	－	－	－
63歳	2,284,800円	1,860,480円	1,338,240円	718,080円	－	－
64歳	2,856,000円	2,480,640円	2,007,360円	1,436,160円	767,040円	－
65歳	3,427,200円	3,100,800円	2,676,480円	2,154,240円	1,534,080円	816,000円
66歳	3,998,400円	3,720,960円	3,345,600円	2,872,320円	2,301,120円	1,632,000円
67歳	4,569,600円	4,341,120円	4,014,720円	3,590,400円	3,068,160円	2,448,000円
68歳	5,140,800円	4,961,280円	4,683,840円	4,308,480円	3,835,200円	3,264,000円
69歳	5,712,000円	5,581,440円	5,352,960円	5,026,560円	4,602,240円	4,080,000円
70歳	6,283,200円	6,201,600円	6,022,080円	5,744,640円	5,369,280円	4,896,000円
71歳	6,854,400円	6,821,760円	6,691,200円	6,462,720円	6,136,320円	5,712,000円
72歳	7,425,600円	7,441,920円	7,360,320円	7,180,800円	6,903,360円	6,528,000円
73歳	7,996,800円	8,062,080円	8,029,440円	7,898,880円	7,670,400円	7,344,000円
74歳	8,568,000円	8,682,240円	8,698,560円	8,616,960円	8,437,440円	8,160,000円
75歳	9,139,200円	9,302,400円	9,367,680円	9,335,040円	9,204,480円	8,976,000円
76歳	9,710,400円	9,922,560円	10,036,800円	10,053,120円	9,971,520円	9,792,000円
77歳	10,281,600円	10,542,720円	10,705,920円	10,771,200円	10,738,560円	10,608,000円
78歳	10,852,800円	11,162,880円	11,375,040円	11,489,280円	11,505,600円	11,424,000円
79歳	11,424,000円	11,783,040円	12,044,160円	12,207,360円	12,272,640円	12,240,000円
80歳	11,995,200円	12,403,200円	12,713,280円	12,925,440円	13,039,680円	13,056,000円

第4章 老齢年金のしくみ

- 年金の受取り総額は、いかに長い期間年金を受け取れるか、つまり寿命によって有利、不利が違ってきます。
- 次の年齢よりも長生きをすれば、繰上げ支給よりも65歳から年金をもらったほうが生涯に受け取る年金の総額は多くなります。
  60歳から繰上げ受給は76歳以上
  61歳から繰上げ受給は77歳以上
  62歳から繰上げ受給は78歳以上
  ※少子高齢化の進行や物価上昇は加味していない。

（厚生労働省ホームページより）。

老齢基礎年金の全部繰上げ③、老齢厚生年金（本来65歳→最大60歳まで）

デメリットを知ったうえで繰り上げる

老齢厚生年金を繰上げできる世代もある

昭和28年4月2日以降に生まれた男性（女性は33年4月2日以降に生まれた人）は、老齢厚生年金の繰上げを請求することができます。

減額率の計算は、老齢基礎年金と同じで、1か月あたり0.5%です（昭和37年4月2日以降生まれは0.4%）。

減額率＝0.5%×繰上げ請求月から報酬比例部分支給開始の前月までの月数

老齢厚生年金を繰り上げる際には、特に次の点に注意しなければなりません。
● 老齢厚生年金を繰上げするときは、老齢基礎年金も同時に繰上げになる。
● 共済年金等複数の老齢厚生年金を受給できる人は、同時に行わなければならない。
● 特別支給の老齢厚生年金（**報酬比例部分**）を受け取ることができる世代は、**それを受け取ることができなくなる**。

繰上げにはさまざまなデメリットがある

繰上げを請求すると、減額された受給率が一生続くだけでなく、さまざまなデメリットがあります（→次ページ）。

例えば、障害年金は、要件に該当すれば65歳まで受けられる制度です。うつ病など精神疾患でも障害年金を受給できる可能性がありますが、繰上げを請求すると受給できなくなります。一度請求したら、取消しできません。デメリットを理解したうえで請求する必要があります。

在職老齢年金のしくみで調整される

また、繰上げ受給をした人が働いて厚生年金に加入すると、在職老齢年金のしくみ（→102ページ）によって調整されます。

失業保険や高年齢雇用継続給付を受け取った場合も、繰上げ受給ではないときと同様に調整されます（→110ページ、116ページ）。

働いて厚生年金に加入すると年金が減額されるしくみは、厚生年金の制度です。そのため、**老齢基礎年金が減額されることはありません**。老齢基礎年金を繰り上げた人が働いたときも、老齢基礎年金は減額されません。

 繰上げは、請求したときから受給することができ、さかのぼって受給することはできません。

老齢基礎年金・老齢厚生年金の繰上げ受給

■メリット・デメリット

メリット	デメリット、注意点
●早いうちからお金を手にすることができます。 ●若いうちに亡くなった場合は本人の受取り総額は多くなります。	●減額された受給率は一生変わりません。 ●障害年金や寡婦年金（→162ページ）は受け取れなくなります。 ●働いて厚生年金に加入すると、在職老齢年金のしくみ（→102ページ）で減額されます。 ●遺族厚生年金は65歳になるまでもらえません。 ●国民年金の任意加入はできません。 ●保険料免除期間などについて追納できません。 ●一度請求したら取消しできません。 ●振替加算は減額されることなく65歳から受け取れます。 ●加給年金は、本来受け取れる年齢に達したとき、減額されない本来の額を受け取ることができます。 ●付加年金は、同時に繰上げされます。同じ減額率で減額されます。 ●全部繰上げをすると、定額部分は受け取れなくなります。 ●共済組合加入期間がある場合、共済組合加入分も同時に繰上げ請求することになります。

「全部繰上げ」の老齢基礎年金額は、
〔繰上げ前の老齢基礎年金×（1－0.5％×繰上げ請求月から65歳になる月の前月までの月数）〕で計算されます。
　この減額率は、昭和37年4月1日以前生まれの人に適用され、それ以降の人は0.4％。

●失業保険や高年齢雇用継続給付が支給されるときは、
　厚生年金は支給停止される（65歳まで）。

■計算してみよう

ケース　60歳11か月で繰上げ請求
　　　　　65歳からの老齢基礎年金　816,000円

繰上げ請求月から65歳になる月の前月までの月数は49か月
減額率＝0.5％×49か月＝24.5％
支給率＝100％－24.5％＝75.5％
繰上げ支給を請求した場合の年金額＝816,000円×75.5％＝616,080円

生年月日別の選択肢

ケース1

男性：昭和24年4月2日〜昭和28年4月1日生まれ
女性：昭和29年4月2日〜昭和33年4月1日生まれ (旧共済年金は男性と同じ)

●本来の支給と老齢基礎年金の繰上げの2つの選択肢があります。

①本来の支給

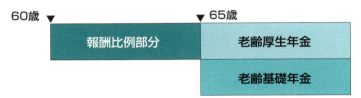

②「老齢基礎年金」の繰上げ

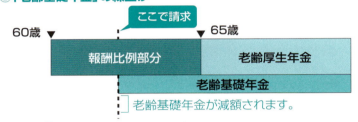

ケース2

男性：昭和28年4月2日〜昭和36年4月1日生まれ
女性：昭和33年4月2日〜昭和41年4月1日生まれ (旧共済年金は男性と同じ)

●この世代だけは繰上げに2つの方法があり、本来の支給とあわせて3つの選択肢があります。
●すでに報酬比例部分を受け取り始めている場合は②は選択できません。

①本来の支給

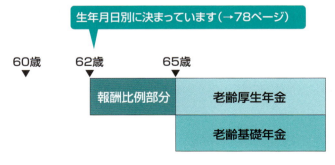

 130〜131ページの生年月日の人は、繰上げ支給の場合でも、65歳になったときに要件があえば、加給年金額がプラスされます（繰り下げる場合を

② 「老齢基礎年金と老齢厚生年金」の繰上げ
　報酬比例部分の支給が始まる前に（前ページの例では62歳より前）、老齢厚生年金の繰上げをすれば、同時に老齢基礎年金も繰上げになります。

③ 「老齢基礎年金」の繰上げ
　報酬比例部分を受け取り始めてから（前ページの例では62歳以降）65歳になるまでの間、老齢基礎年金の繰上げができます。

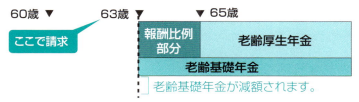

ケース 3

男性：昭和36年4月2日以降生まれ
女性：昭和41年4月2日以降生まれ（旧共済年金は男性と同じ）

● この世代以降は、65歳からの老齢基礎年金と老齢厚生年金だけになります。
● 繰上げ請求するときは、老齢基礎年金と老齢厚生年金の両方を請求することになり、片方だけの請求はできません。

①本来の支給

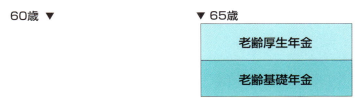

②「老齢基礎年金と老齢厚生年金」の繰上げ

除く）。

老齢基礎年金の繰下げ受給①（本来65歳→最大75歳まで）

年金を増やすなら あわてて請求しない

10年で84％アップできる

本来、老齢基礎年金は65歳から受け取れますが、働いているなどでお金に余裕がある人は、65歳で年金の請求を行わず、66歳以降にもらう「繰下げ受給」を選択することができます。

繰り下げる期間は、66歳以降10年までの間なら、月単位で自由に決められます。繰り下げた月数に応じて1か月あたり0.7％が増額されるので、1年あたり8.4％増額されることになります。

10年間繰り下げると、84％増えるので、長生きすればするほどメリットが大きくなります。**増額率は一生変わることがありません**。

令和4年4月に改正され、10年繰下げができるようになりました。

対象になるのは、改正時点で70歳に到達していない昭和27年4月2日以降に生まれた人や平成29年4月1日以降に老齢基礎年金（または老齢厚生年金）の受給権が発生した人です。

それ以外の人は、繰下げの上限年齢はこれまでどおり、70歳までになります。

ハガキの記入に注意する

「裁定請求」といわれる年金の請求を一度してしまうと繰り下げることはできなくなります。繰下げするのであれば、「裁定請求」をしないよう注意が必要です。特に、特別支給の老齢厚生年金をもらっている人は、日本年金機構から65歳になったときに来る「ハガキ」の記入方法に注意しましょう（→141ページ）。

その後、年金を受け取るときにはじめて「裁定請求」をします。繰下げのときは、**いつまで繰り下げるかを決める必要はなく、必要になったときに「裁定請求」**をします。繰り下げた年金は、請求した翌月から受け取ることになっています。

老齢基礎年金、老齢厚生年金は別々に繰り下げることができる

繰下げは、65歳以降の老齢基礎年金、老齢厚生年金を別々にすることができます。老齢基礎年金だけ65歳から受取り、老齢厚生年金は70歳から受け取るなど工夫すれば、自分の支出にあわせた受給ができるでしょう。

 端数処理■年金額の端数処理は、50円以上を切り上げ、50円未満を切り捨てていましたが、平成28年4月からは1円未満四捨五入になりました。

繰下げ受給のメリット・デメリット

メリット	デメリット、注意点
●増額された支給率は一生変わりません。 ●長生きすればするほど本人の受取り総額は多くなります。 ●付加年金は、同時に繰下げされ、同じ増額率がつきます。 ●老齢基礎年金、老齢厚生年金は別々に繰下げできます。	●一度請求したら取消しはできません。 ●早く亡くなれば、生涯に受け取る総額は少なくなります。 ●振替加算は繰り下げても増額されません。 ●障害年金や遺族年金を受給する権利がある場合は繰下げできません。 ●加給年金は、繰下げしても増額されません。 ●繰下げしても、亡くなったときの遺族年金が増えるわけではありません。 ●旧共済年金は同時に繰下げなければなりません。 ●遺族年金と併給調整がかかった結果、繰下げ増額が意味のないものになることがあります（→226ページ）

■繰下げ受給のかたち

本来の老齢基礎年金

▼ 65歳

100% 本来の老齢基礎年金
振替加算

毎年受け取る年金額が増額される

繰下げした場合の老齢基礎年金（75歳まで繰り下げたとき）

▼ 75歳

184% 繰下げ支給の老齢基礎年金
振替加算

■繰下げ受給の年金額を計算してみよう

ケース 67歳6か月まで繰下げしたとき
65歳からの老齢基礎年金　816,000円

65歳になった月から繰下げ請求月の前月までの月数は30月
　増額率＝0.7％×30月＝21％
　受給率＝100％＋21％＝121％
繰下げ受給をした場合の年金額
　　　　　　　　＝816,000円×121％＝987,360円

切り捨てた端数の合計額は2月期に加算され、その合計額に1円未満の端数が生じたときは切り捨てとなります。

老齢基礎年金の繰下げ受給②（本来65歳→最大75歳まで）

繰下げの損益分岐点は86歳

増額は1か月あたり0.7%

繰下げの増額は、月あたり0.7%で計算します。「増額率＝0.7%×65歳になった月から繰下げ請求月の前月までの月数」

ここでは、本来受給の場合と繰下げ受

繰下げ受給はソン？　それともトク？

65歳時の老齢基礎年金が満額の816,000円の場合の繰下げ受給累計額　(円)

支給開始年齢	本来の支給 65歳	繰下げ支給 66歳	67歳	68歳	69歳
支給率	100.0%	108.4%	116.8%	125.2%	133.6%
65歳	816,000				
66歳	1,632,000	884,544			
67歳	2,448,000	1,769,088	953,088		
68歳	3,264,000	2,653,632	1,906,176	1,021,632	
69歳	4,080,000	3,538,176	2,859,264	2,043,264	1,090,176
70歳	4,896,000	4,422,720	3,812,352	3,064,896	2,180,352
71歳	5,712,000	5,307,264	4,765,440	4,086,528	3,270,528
72歳	6,528,000	6,191,808	5,718,528	5,108,160	4,360,704
73歳	7,344,000	7,076,352	6,671,616	6,129,792	5,450,880
74歳	8,160,000	7,960,896	7,624,704	7,151,424	6,541,056
75歳	8,976,000	8,845,440	8,577,792	8,173,056	7,631,232
76歳	9,792,000	9,729,984	9,530,880	9,194,688	8,721,408
77歳	10,608,000	10,614,528	10,483,968	10,216,320	9,811,584
78歳	11,424,000	11,499,072	11,437,056	11,237,952	10,901,760
79歳	12,240,000	12,383,616	12,390,144	12,259,584	11,991,936
80歳	13,056,000	13,268,160	13,343,232	13,281,216	13,082,112
81歳	13,872,000	14,152,704	14,296,320	14,302,848	14,172,288
82歳	14,688,000	15,037,248	15,249,408	15,324,480	15,262,464
83歳	15,504,000	15,921,792	16,202,496	16,346,112	16,352,640
84歳	16,320,000	16,806,336	17,155,584	17,367,744	17,442,816
85歳	17,136,000	17,690,880	18,108,672	18,389,376	18,532,992
86歳	17,952,000	18,575,424	19,061,760	19,411,008	19,623,168
87歳	18,768,000	19,459,968	20,014,848	20,432,640	20,713,344

MEMO 65歳時点で受給権がない人の繰下げは、ここに書いてある年齢「66歳、67歳……70歳」を受給権発生後の年数「1年、2年……5年」と読み替え

給の場合の受給累計額を表にしています。ただし、物価上昇等は加味せず、単純比較しています。65歳時点で受給権がない人の繰下げは、「66歳、67歳……」を「1年、2年……」と読みかえてください。

損得はトータルで考える

繰下げ受給をした場合、受給開始年齢から約**11年10か月で繰り下げて受け取った年金額を取り戻す**ことができます。なぜなら、〔100％÷0.7％＝142.85か月≒約11年10か月〕となるからです。

受給を65歳から最大である75歳まで10年繰り下げた場合は、86歳10か月まで生きれば、受取りの累計額は本来の受取り方法と同じになります。それ以降は長生きすればするほど生涯に受け取る年金額は多くなります。

ただし、本来65歳から受け取る**「振替加算（→98ページ）」は、繰下げすると、老齢基礎年金の受給が開始されるまで先送りする**ことになります。繰下げしても増額されるわけではなく、結果として先送りした分もらい損ねることになります。

年金の損得は個別のケースごとにトータルで考える必要があるのです。

(円)

繰下げ支給					
70歳 142.0%	71歳 150.4%	72歳 158.8%	73歳 167.2%	74歳 175.6%	75歳 184.0%
1,158,720					
2,317,440	1,227,264				
3,476,160	2,454,528	1,295,808			
4,634,880	3,681,792	2,591,616	1,364,352		
5,793,600	4,909,056	3,887,424	2,728,704	1,432,896	
6,952,320	6,136,320	5,183,232	4,093,056	2,865,792	1,501,440
8,111,040	7,363,584	6,479,040	5,457,408	4,298,688	3,002,880
9,269,760	8,590,848	7,774,848	6,821,760	5,731,584	4,504,320
10,428,480	9,818,112	9,070,656	8,186,112	7,164,480	6,005,760
11,587,200	11,045,376	10,366,464	9,550,464	8,597,376	7,507,200
12,745,920	12,272,640	11,662,272	10,914,816	10,030,272	9,008,640
13,904,640	13,499,904	12,958,080	12,279,168	11,463,168	10,510,080
15,063,360	14,727,168	14,253,888	13,643,520	12,896,064	12,011,520
16,222,080	15,954,432	15,549,696	15,007,872	14,328,960	13,512,960
17,380,800	17,181,696	16,845,504	16,372,224	15,761,856	15,014,400
18,539,520	18,408,960	18,141,312	17,736,576	17,194,752	16,515,840
19,698,240	19,636,224	19,437,120	19,100,928	18,627,648	18,017,280
20,856,960	20,863,488	20,732,928	20,465,280	20,060,544	19,518,720

てください。

老齢厚生年金の繰下げ受給（本来65歳→最大75歳まで）

受け取り開始は夫婦で考える

65歳前の年金は繰下げできない

「老齢厚生年金の繰下げ受給」は、**老齢基礎年金と老齢厚生年金のいずれか一方だけ、または同時に繰下げをする**ことができます。繰下げ増加率は老齢基礎年金と同様、1か月あたり0.7％です。メリット、デメリットも老齢基礎年金と同じです（→133ページ）。

繰下げができるのは、65歳から受け取る分だけです。60歳台前半の老齢厚生年金を繰り下げることはできません。

60歳台前半の老齢厚生年金を受給していた人も繰下げできます。

ただし、障害年金や遺族年金を受け取っている間は繰下げ受給をすることができません。また、繰下げ受給の待機中に障害年金や遺族年金を受給できるようになったときは、その時点まで繰り下げたことになります。

旧共済年金と同時に繰り下げる

共済年金が厚生年金と一元化されるまで、別個のものとして、それぞれ違うタイミングで請求することができました。**一元化後は、ワンストップサービスが始まり、1つの実施機関に請求すれば、情報共有されます。**

2つ以上老齢厚生年金がある人の繰下げも、1つだけにすることはできず、すべての年金を請求することになりました。

加給年金は先送りになる

加給年金は、厚生年金に原則20年以上加入した人に65歳未満の妻（夫）がいる場合に受け取ることができるものです（→94ページ）。厚生年金を繰下げしたときは、この加給年金の受給は先送りされることになります。

加給年金は先送りしても増えるわけではありません。

また、先送りした結果、妻（夫）が65歳になれば、その時点で加給年金を受け取ることはできなくなります。

繰上げ、繰下げの制度をふまえ、「長生きリスク」に備えるには、どのように受給すればいいのでしょうか？　夫婦のケースでは、どちらか一方だけ繰り下げる方法も考えられます（→次ページ）。

 老齢厚生年金の繰下げは、加給年金の受取りとも関わってきます。夫婦の生年月日や年金の加入状況などをよく考え、受け取ることができるケース

136

夫婦の受け取りパターン

　資金に余裕がある夫婦の場合は、繰下げで年金を増やす方法を選択するといいでしょう。
　しかし、余裕がない場合は、どちらか一方だけ繰り下げる方法も考えられます。
　この場合、一般に長生きするといわれている妻の年金を繰下げによって増額する方法が考えられます。掛け金が少ないために受給できる年金額も少ないケースが多い妻の分をアップし、長期の年金生活に備えるのです。

※掛けてきた保険の加入状況や健康かどうか、年齢差などによって有利な選択は違ってきます。
　ここでは妻は専業主婦で厚生年金に加入していない例を記載しています。
　加給年金や振替加算、その他の要件や金額等は各ページを参照ください。

■老齢基礎年金、老齢厚生年金の両方を繰り下げた場合のイメージ

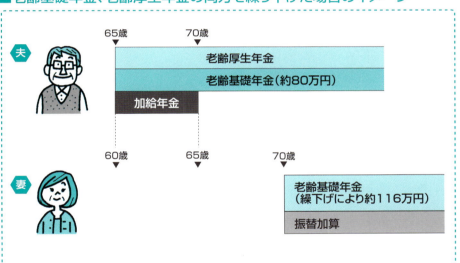

所得税や介護保険は年収が高いと負担が多い

　受け取る年金は、もちろん高いほうがいいでしょうが、高ければ高いほど、当然のことながら、所得税や介護保険料、国民健康保険料、後期高齢者医療保険料は高くなります。
　また、介護保険を利用したときに利用者が負担する「利用者負担」は、年金などの所得に応じて1割または2割となっています。平成30年8月からは、夫婦世帯で463万円以上は3割という区分ができました（自己負担の上限は月44,400円）。
　このように、手取り収入を考えたとき、単純に84％増にはなりません。

を年金事務所で試算してもらうとよいでしょう。

在職老齢年金の繰下げ受給（本来65歳→最大70歳まで）

在職中の人は繰下げしても給料と調整される

受給しない期間は本来どおりに計算する

老齢厚生年金を受け取ることができる人が、働いて厚生年金に加入すれば、一定の計算式に基づいて年金を減額されます（→105ページ）。

老齢厚生年金を繰下げして受給しなければ、年金が減額されることはないように考えがちですが、そうすると、原則どおり65歳から受給している人との間で不公平が生じることになります。

繰下げをして年金を受給していない期間に、働いて厚生年金に加入すれば、本来どおりに給料と調整して「繰下げ加算額」を計算します。つまり、繰り下げなかった場合に減額される率を計算し、それを除いたものをもとにして受給開始後の年金を計算します。

結局のところ、**繰下げをしてもしなくても、その部分は受け取ることはできない**のです。

支給率を平均して加算する

働いている期間の報酬の増減にあわせて減額される割合も変動するので、「繰下げ加算額」を計算する際には、「支給率を平均したもの」を使います（→下の図）。

なお、掛けた分を反映して、毎年1回年金が見直されますが、70歳のとき、

繰下げ加算額＝65歳時の老齢厚生年金額×平均支給率
　　　　　　×65歳になった月から繰下げ請求月の前月までの月数×0.7％

平均支給率＝ 月単位での支給率の合計 ／ 65歳になった月の翌月から繰下げ請求月までの月数

月単位での支給率＝1－ 在職支給停止額 ／ 65歳時の老齢厚生年金額

 60歳以降は失業保険に加入しても、何ももらえないと考えて加入をいやがる人がいます。しかし、年金と失業保険の両方を受け取ることができない

それまで掛けてきた厚生年金保険料を老齢厚生年金に加えて計算しなおします。そのため、掛けたら掛けた分だけ、年金額は増加します。

また、働くと減額される「在職老齢年金」の制度は老齢厚生年金だけの考え方で、「老齢基礎年金」が減額されることはありません。

増額された分は除いて計算する

一方、繰下げをすると、受給が始まってからは老齢厚生年金の額が増えます。

このときに働いて減額される「在職老齢年金」の計算をする際には、増えた部分は除いて計算します。

働いている人が繰り下げたときの減額

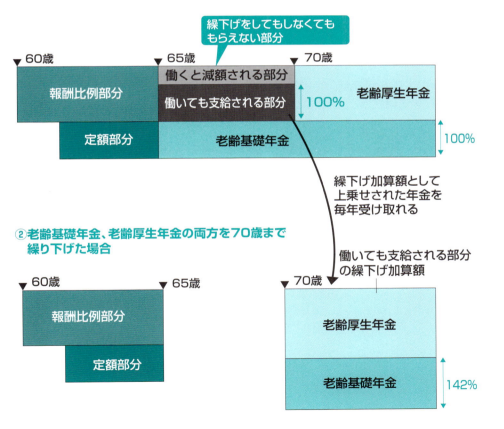

のは、60～64歳だけのことで、65歳以降は調整されません（→120ページ）。

65歳以降の手続きと繰下げ

ハガキの返送には注意が必要

繰下げのときは請求しない

老齢基礎年金、老齢厚生年金を一度請求したら、後で繰下げはできません。

特別支給の老齢厚生年金をもらっている人には、65歳前に日本年金機構（または共済組合）から、「国民年金・厚生年金保険老齢給付裁定請求書」が届きます。**このハガキは、「65歳からの年金を請求する」という意味のハガキ**です。

繰下げすることなく、引き続き65歳から老齢基礎年金、老齢厚生年金をもらう場合は、必要事項を記入してこのハガキを返送します。

老齢基礎年金と老齢厚生年金の両方を繰り下げてもらうなら、ハガキを返送しないよう注意します。

複数の共済組合や、厚生年金に加入していた人は、繰下げ請求すれば、他の実施機関からも繰下げ請求したとみなされるので注意が必要です。

65歳以降の手続きと繰下げ

 年金の請求手続きを円滑にするためや裁定請求の漏れを防ぐために、日本年金機構が管理している年金加入記録等をあらかじめ印字した年金の請求

老齢給付裁定請求書（ハガキ形式）

- 特別支給の老齢厚生年金をもらっている人に65歳の誕生日の月の前月頃届きます。
- すでに60歳台前半は裁定請求をしているので、簡単な形式です。
- 60歳台前半に老齢年金を受給していても、繰下げをすることができます（→136ページ）。
  65歳以降、すぐに受け取らないときは、返送しないよう注意しましょう。
- すぐに受け取るときは、誕生日の月の末日までに必要事項を記入し、年金事務所（または共済組合）に返送します。

■加給年金がない人用

老齢基礎年金・老齢厚生年金のどちらかを繰下げ希望するとき○をつけます。
○を忘れると繰下げできなくなります。

■加給年金がある人用

加給年金があるかないかは、日本年金機構で判別した上でハガキが送られます。
書き方の注意は、上と同様です。

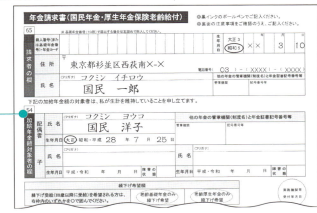

加給年金の対象者がいるときは（→94ページ）記入します。

書（「裁定請求書」）や「年金に関するお知らせ（ハガキ）」が送られています。

裁定請求手続き①

自分の年金は自分で守る

年金をもらうには請求が必要

年金を受給する権利は、必要な要件を満たした時に発生しますが、自分で請求しなければもらえません。このことを裁定請求といいます。

裁定請求は、「裁定請求書」を添付書類（→144ページ）とともに年金事務所に提出します。ただし、最後に共済組合に加入していた人は、なるべくその共済組合（年金事務所でも受付される）、第1号被保険者の期間だけの人は市区町村役場へ提出します（詳しくは→180ページ）。

共済年金が厚生年金に一元化され、年金事務所でも共済組合でも受け付けされるようになりました。しかし、裁定請求書が送られてきた実施機関へ提出するほうがいいでしょう。

59歳時のねんきん定期便は重要

59歳のときに送られてくる「ねんきん定期便」には、年金加入履歴や見込額などが記載されています。

老齢年金は原則10年以上の加入期間がないともらうことができないので（→70ページ）、加入期間が10年以上あることを確認することが重要です。その他の内容もよく確認したうえで、誤りがあれば年金加入記録回答票を返送します。

このねんきん定期便は次に送られてくる「裁定請求書（年金請求書→232ページ）」のもとになるたいせつなものです。しっかりと確認しましょう。

なお、保険料納付済期間と保険料免除期間が記載されているだけで合算対象期間（カラ期間）は含まれていません。

裁定請求書は事前に送られる

60歳台前半から年金を受け取れる人には、3か月前に、「裁定請求書（年金請求書）」が送られます。

65歳から年金を受け取ることが確認できた人と年金を受け取る権利がない人には、「年金に関するお知らせ」のハガキが届きます。

送られてくる書類だけを信用するのではなく、59歳くらいになったら自分で加入記録や受給方法を確認するほうがよいでしょう。

 令和6年6月からは、未加入期間がないなど一定の条件を満たす人は「老齢年金請求書」を電子申請により提出できるようになりました。電子申請可

裁定請求の一般的な流れ

① 「ねんきん定期便」が届きます

② 年金加入記録回答票の返送
記載された内容を確認します

＜記録に間違いがない場合＞
返送は不要です

＜記録に間違いがある場合＞
年金加入記録回答票に不備の内容を記入し返送します

③ 裁定請求書（年金請求書（→232ページ））
または「年金に関するお知らせ」が送付されます

④ 裁定請求書の提出

⑤ 裁定請求書審査

⑥ 1～2か月後
「年金証書」「年金裁定通知書」が送付されます

⑦ 2～3か月後
初回の支払いがあり、「振込通知書（年金送金通知書）」が送付されます
その後、偶数月に2か月分ずつ振り込まれます

第4章 老齢年金のしくみ

hint 自分の年金額を知るには

50歳以上の人は年金事務所で年金の見込額を試算してもらうことができます。夫、妻両方の年金手帳を持参し、年金をもらえる年齢に近づいてきたら一度試算をしてもらいましょう。また、50歳未満の人でも「ねんきんネット」でそれまでの加入実績に基づいた受取り額をリアルタイムで知ることができます。

能な人には、「年金請求書（事前送付用）」が送られる際に、電子申請案内のリーフレットが同封されています。

裁定請求手続き②　その他の手続き

年金は自分で請求しないともらえない

事前に確認するとムダがない

　年金を裁定請求するには、たくさんの添付書類を用意する必要があります。必要な書類は、人によって異なります。
　裁定請求する前に、どんな書類の添付が必要なのか、**あらかじめ年金事務所で聞いておきましょう。**
　年金は年6回偶数月（2月、4月、6月、8月、10月、12月）に支払い月の前月と前々月の2か月分ずつ、支払い月の15日に支給されます。
　なお、年金の受給開始後も、次ページの手続きが必要です。どの書類も重要なものなので遅れずに手続きしましょう。

老齢年金請求時の主な書類

書類	注意点
老齢給付請求書	年金請求書（国民年金・厚生年金保険老齢給付）
年金手帳、または基礎年金番号通知書	本人、配偶者（マイナンバー記載で省略できる）
雇用保険被保険者証	コピーでも可（雇用保険に加入したことがあるとき）
戸籍謄本（戸籍抄本）または住民票	受給権発生日以降で6か月以内のもの（マイナンバー記載で省略できる）
生計維持を証明する書類	加算となる子や配偶者がいる場合に必要。世帯全員の住民票など（マイナンバー記載で省略できる）
所得を証明する書類（配偶者）	加算となる配偶者がいる場合に必要。非課税証明書など（マイナンバー記載で省略できる）
預金通帳、またはキャッシュカード	本人名義（コピーでも可）。年金請求書に金融機関の証明書を受けた場合は不要
年金加入期間確認通知書	共済組合に加入した期間があるとき

戸籍謄本（戸籍抄本）■戸籍に記載されている内容のすべての情報を写したものを戸籍謄本といい、一部の情報を、抜粋して写したものを戸籍抄本

年金受給中にはどんな手続きをするの？

一元化され、届書は原則としてすべての窓口（日本年金機構および各共済組合）で受け付けされ、所管の実施機関に回付されます。ただし、一元化前に権利が発生した退職共済年金などの届書は、その共済組合に提出しましょう。

届出を必要とするとき	届書の名称	提出期限
①氏名を変更したとき	年金受給権者氏名変更届（マイナンバーが登録されている場合は不要）	10日以内
②住所を変更したとき	年金受給権者住所変更届	10日以内
③年金の受け取り先を変更したとき	年金受給権者受取機関変更届	次の年金支払日の1か月以上前まで（国民年金は14日以内）
④年金証書をなくしたとき	年金証書再交付申請書	そのつど
⑤2つ以上の年金が受けられるようになったとき	年金受給選択申出書	すみやかに
⑥年金をもらっている人が死亡したとき	年金受給権者死亡届	10日以内（国民年金は14日以内）
⑦死亡した人が受け取れるはずだった年金が残っているとき（未支給年金の請求）	未支給年金・未支払給付金請求書	すみやかに
⑧加給年金や加算の対象者が死亡・離縁・養子縁組などをしたとき	加算額・加給年金額対象者不該当届	10日以内（国民年金は14日以内）
⑨加給年金の対象者である配偶者が老齢（退職）年金・障害年金を受けられるようになったとき	老齢・障害給付加給年金額支給停止事由該当届	すみやかに

第4章　老齢年金のしくみ

hint 毎年「現況届」を提出する

以前は、年金受給中の人は、毎年誕生月の前月末頃に日本年金機構から送られてくる「現況届」（年金を受け取る権利があるかどうかを確認する書類）を提出しなければなりませんでしたが、住民基本台帳ネットワークシステム（住基ネット）の活用により、現況届の提出が原則不要となりました。
ただし、住民票コードが確認できない人には、従来通り、現況届が送られます。届いたときは、誕生月の末日までに提出しなければなりません。
平成29年からは、住民票の添付またはマイナンバーの記入・番号確認の書類添付が必要になりました。この提出が遅れると、年金支払いが一時止まることがあります。
また、加給年金が加算される場合には、「生計維持確認届」の提出が必要です。

といいます。

所得税①

老齢年金には税金がかかる

所得税はどうやって計算するの？

所得税 ＝ (所得 － 所得控除(主なもの)表③) × 税率

所得
- 公的年金等の収入 － 公的年金等控除額 表①
- 給与収入 － 給与所得控除 表②
- 自営業の人は総収入 － 必要経費
- その他の収入 － 必要経費

扶養親族等申告書で受けられるもの
- 基礎控除
- 配偶者控除
- 配偶者特別控除
- 扶養控除
- 障害者控除

確定申告すれば受けられるもの
- 社会保険料控除
- 生命保険料控除
- 地震保険料控除
- 医療費控除

①公的年金等控除額

年齢	受け取る年金額	公的年金等控除額
65歳未満	130万円未満	60万円
	130万円以上410万円未満	年金額×25％＋27.5万円
	410万円以上770万円未満	年金額×15％＋68.5万円
	770万円以上1,000万円未満	年金額×5％＋145.5万円
	1,000万円以上	195.5万円
65歳以上	330万円未満	110万円
	330万円以上410万円未満	年金額×25％＋27.5万円
	410万円以上770万円未満	年金額×15％＋68.5万円
	770万円以上1,000万円未満	年金額×5％＋145.5万円
	1,000万円以上	195.5万円

※公的年金以外の所得が合計1,000万円以下の場合。

②給与所得控除

年収	給与所得控除※
162.5万円以下	55万円
162.5万円超 180万円以下	年収×40％－10万円
180万円超 360万円以下	年収×30％＋8万円
360万円超 660万円以下	年収×20％＋44万円
660万円超 850万円以下	年収×10％＋110万円
850万円超	195万円（上限）

※年収850万円超で23歳未満の扶養親族などがいる人は、「所得金額調整控除」が受けられる。

 税法が改正され、2020年以降の所得税、2021年以降の住民税は上記のとおり公的年金控除、給与所得控除が10万円ずつ減額、基礎控除は10万円増額され

遺族年金や障害年金には税金がかからない

公的年金のうち、老齢年金には「雑所得」として所得税がかかります。これに対し、**遺族年金や障害年金には、かかりません**。

ここでいう公的年金には、退職した人に会社が支給する企業年金なども含まれます。課税される年金としては、老齢基礎年金、付加年金、老齢厚生年金、退職共済年金に加え、旧法による老齢年金、国民年金基金、厚生年金基金、適格退職年金などが対象になります。

ただし、老齢年金の合計額が**158万円未満（65歳未満の人は108万円未満）の人には、税金はかかりません**。年齢はその年の12月31日現在で判定します。

③所得控除
扶養親族等申告書を提出するだけで受けられるもの

種類	控除額	概要
基礎控除	48万円	合計所得2,400万円超は逓減
配偶者控除	38万円（70歳以上の配偶者48万円）	所得48万円以下の配偶者がいるとき（本人の所得が900万円超のときは、額が異なる）
配偶者特別控除	最高38万円	配偶者の所得が48万円超133万円未満のとき（本人の所得が900万円超のときは、額が異なる）
扶養控除	一般（16歳未満除く） 38万円 同居老親 58万円 同居老親以外 48万円 19〜22歳 63万円	生計を同じくする、16歳以上で所得48万円以下の親族がいるとき（1人あたりの額を合計する）
障害者控除	一般 27万円 特別 40万円 （扶養親族または控除対象配偶者が同居の特別障害者のとき75万円）	本人または控除対象配偶者、扶養親族に障害者がいるとき

確定申告すれば受けられるもの（例）

種類	控除額	概要
社会保険料控除	支払った社会保険料の全額	1年間に支払った、健康保険、厚生年金、国民年金など
生命保険料控除	最高12万円	1年間に支払った生命保険料・個人年金保険料・介護医療保険料
地震保険料控除	最高5万円	1年間に支払った地震保険料・旧長期損害保険料
医療費控除	医療費－給付金など－10万円 （最高200万円まで） ※所得が200万円より少ないときは所得×5%	1年間に支払った医療費 本人、同一生計の親族について支払ったもの

ました。（改正後で表示）年金を受け取りながら働く人は増税にならないよう配慮されます。また、年金と他の所得をあわせて1,000万円超の人は、公的年金控除額が減額され、増税になります。

所得税②
確定申告で税金を取り戻そう

申告書を提出しなければならない

年金は、年6回偶数月に支払われますが、支払われるたびに、所得税が徴収されます。このときの税額は、毎年提出する「扶養親族等申告書」に基づいて計算されます。

この申告書を提出することによって、「控除」（課税対象としない）が受けられます。

扶養親族等申告書は、毎年9月〜11月ごろ日本年金機構から送られてくるので、12月上旬の期限までに提出するようにしましょう。

源泉徴収の対象にならない人には、「扶養親族等申告書」は送られていません。

扶養親族等申告書を「マイナポータル」を利用した簡易な電子申請ができるようになりました。電子申請した場合は、紙での提出は不要です。

働いている人は確定申告しなければならない

年金から引かれている所得税は、年金だけしか収入がない前提で計算していま

す。また、給料から引かれている所得税も給料だけしか収入がない前提で計算しています。そのため、**年金を受け取りながら、給料ももらっている人は、確定申告をして正しい税額を計算しなおさなければなりません。**

ただし、公的年金等の収入金額が400万円以下で、かつ、それ以外の所得金額（給与、個人年金など）が20万円以下であれば、確定申告をする必要はありません。

また、老齢厚生年金の他に厚生年金基金からも年金を受け取っている人のように、2か所以上から年金を受け取っている人（2か所以上に扶養親族等申告書を提出している人）も確定申告をしなければなりません。つまり、146ページの「収入」が2種類以上（2か所以上）の人は、確定申告しなければならないということです。

医療費が高い人は確定申告すれば税金が戻ってくる

「所得控除」は所得税を計算する上で、収入から引いて税額を低くすることができるものです。基礎控除や配偶者控除、

 年金は、各支払期の前月と前々月の2か月分が支払われますが、2月にもらう年金は前年の12月分と今年の1月分です。このような場合、たとえ12

扶養控除などは「扶養親族等申告書」を提出すれば控除が受けられます（→147ページ「扶養親族等申告書を提出するだけで受けられるもの」）。

医療費が10万円を超えた人や、生命保険料を支払った人などは、申告書を提出するだけでは控除は受けられず、確定申告によって受けられるものです（→147ページ「確定申告すれば受けられるもの」）。

確定申告をすれば所得税が戻ってきますが、収入がもともと低く、所得税が低い人は確定申告をしても少ししか戻ってきません。

なお、確定申告は、毎年2月16日から3月15日に受付されます。税金を納めすぎたために、返してもらうための申告をする場合は、この期限に限らず、いつでも受付されます。また、この場合は、**5年前までの所得税還付の申告をすることもできます。**

どんな人が確定申告をするの？

	確定申告しなければならない人	確定申告で税金が戻ってくる人（要件にあえば）
対象者（例）	●年金の他に給料などの収入がある人 ●2か所以上に扶養親族等申告書を提出している人 ●扶養親族などの申告内容に変更があった人	●社会保険料控除、生命保険料控除、医療費控除などを受ける人 ●扶養親族等申告書を提出しなかったために税金を納めすぎた人
申告期限	翌年2月16日〜3月15日	●翌年1月1日から5年前までさかのぼることができる ●いつでも申告できる

> **hint　源泉徴収票の交付**
> 確定申告には源泉徴収票が必要です。毎年1月に日本年金機構から、「公的年金等の源泉徴収票」が送られてきます。紛失した人や、還付のための申告など、再交付が必要な人は、年金事務所に電話すれば送ってもらえます。

分が含まれていても2月にもらう年金は今年の所得として課税されます。

公的年金制度以外の生活保障の準備

老後の生活保障として、年金で不足する資金は自分で準備しておくと安心です。
さまざまな方法があるので、それぞれの特徴を知り、自分にあったもので準備しましょう。

制度	概要
国民年金基金 問い合わせは 0120-65-4192	●国民年金の第1号被保険者が対象 ●掛け金の全額が控除されるので、税制面で有利 ●付加年金とはいずれかしか加入できない ●年金として受け取る他は途中解約できない
確定拠出年金 問い合わせは 各金融機関へ （詳しくは18ページ）	●企業型と個人型（iDeCo）があるが、企業型は会社に制度がなければ加入できない ●掛け金の全額が控除されるので、税制面で有利 ●自分で選んだ運用方法によって運用利回りは異なる ●事務費や運営管理機関に対する手数料が必要
小規模企業共済 問い合わせは 中小企業基盤整備機構 050-5541-7171	●20人以下（商業・サービス業は5人以下）の個人事業主と法人の役員、個人事業主の共同経営者（2人まで）が対象 ●事業をやめたり退職した場合などの準備に積み立てる ●掛けた資金をもとにした貸付金制度もある ●掛け金の全額が控除されるので、税制面で有利
個人年金	●生命保険会社などがさまざまな商品を用意している ●掛け金の控除は最大4万円
財形年金	●会社に財形制度がなければできない ●55歳未満の従業員（公務員等含む）が対象 ●住宅財形とあわせて貯蓄残高550万円まで非課税（保険商品の場合は払込額385万円まで） ●給料天引きによる貯蓄

第5章

遺族年金のしくみ

遺族年金も2階建てになっている　152
18歳未満の子がいないともらえない　154
滞納が長いともらえない　156
遺族基礎年金は妻と子2人で月10万円　158
再婚したらもらえなくなる　160
寡婦年金は女性だけの年金　162
死亡一時金の遺族の範囲は広い　164
寡婦年金と死亡一時金は有利なほうを選択する　166
老後の死亡には25年加入が要件　168
30歳以上の妻は生涯受給できる　170
若くして亡くなっても25年加入とみなされる　172
配偶者や父母は生涯受給できる　174
40歳以上の妻には60万円が加算される　176
経過的寡婦加算は昭和31年生まれまで　178
年金の請求では多くの資料を用意する　180
亡くなる直前の年金を忘れずに請求する　182

遺族年金の概要

遺族年金も2階建てになっている

亡くなった人の加入状況で判断する

年金に加入中の人や加入していた人などが死亡したとき、遺族に支給されるのが遺族年金です。

遺族年金も老齢年金と同じように、加入していた年金制度によって受け取る年金が異なります。厚生年金に加入中の人や加入していたことがある人は、**要件があえば厚生年金からも国民年金からも2階建てで受給**することができます。共済組合に入っていた人も同様です。

夫が亡くなった後、子を養育中のとき、または子が高校を卒業したときなど、遺族の年齢や家族構成によって必要な金額も変わってきます。そのため、遺族年金には、さまざまな要件で区別されたものが用意されています（→次ページ）。

遺族年金で、加入期間や加入していた「報酬」などを計算するときは、常に**「死亡した人」の加入状況について判断します**。たとえば、夫が亡くなったのであれば、夫の年金加入の状況によって判断するのであって、遺族（妻）の加入状況を見るのではありません。

老齢年金と遺族年金は有利な方法で計算される

夫に先立たれた妻も、65歳になると自分の老齢年金を受給することができるようになります。

自分で働いて厚生年金に加入した期間のある妻は、**自分の老齢基礎年金＋老齢厚生年金と、遺族厚生年金を受給できる**ことになります。

しかし、すべてを受給するともらいすぎになるため、いくつかの計算方法から最も高い計算方法で受給することになっています（→227ページ）。

シミュレーションして将来に備える

長い人生には、一家の大黒柱が亡くなるという不測の事態が起こることも考えられます。どんな状況になったら、国からどれだけの年金が給付されるかをあらかじめ知っておくことがたいせつです（モデルケース→51ページ）。

年金だけでは足りない分は、生命保険に入っておくことなどにより、補っておくとよいでしょう。

 旧年金制度にあった母子年金、準母子年金、遺児年金の3つの年金が、昭和61年4月以降の新年金制度で遺族基礎年金となりました。

サラリーマンが亡くなったときのモデルケース

死亡当時　妻45歳、子15歳、12歳（1年あたりの金額）

夫死亡

遺族厚生年金（早見表は173ページ）

遺族基礎年金	中高齢寡婦加算	老齢基礎年金
816,000円 （813,700円※）	612,000円	816,000円 （813,700円※）

457,400円　228,700円　← 高校卒業まで　子の加算

▲妻45歳　▲妻48歳 子1人 高校卒業　▲妻51歳 子2人とも 高校卒業　▲妻65歳　▲妻死亡

第5章　遺族年金のしくみ

経過的寡婦加算は、昭和31年4月生まれ以降の人には支給されないため省略した。
自営業者のモデルケースは51ページ参照。
※カッコ内は、受け取る人が昭和31年4月1日以前生まれの方。

■遺族年金にはいろいろある（概要）

		概要（特徴）	受給者	金額
国民年金	遺族基礎年金	子が18歳（高校卒業の年齢まで）になるまでしか受給できない	18歳未満の子のある配偶者、18歳未満の子（20歳未満の障害のある子）	816,000円+子1人あたり234,800円（3人目以降78,300円）
	寡婦年金	夫が国民年金に第1号被保険者として10年以上加入していながら、年金を受給することなく死亡したとき	妻（夫は対象外）が60歳〜65歳になる直前まで	第1号被保険者期間だけで計算した老齢基礎年金の4分の3
	死亡一時金	遺族基礎年金を受給することができないとき（寡婦年金とは併給されない）	配偶者、子、父母、孫、祖父母、兄弟姉妹	加入期間により、120,000円〜320,000円
厚生年金（共済年金）	遺族厚生年金（遺族共済年金）	厚生年金（共済年金）に加入中または加入していて要件を満たす人が死亡したとき	配偶者、子、父母、孫、祖父母	老齢厚生年金（退職共済年金）の4分の3（加入していたときの標準報酬額をもとに計算）
	中高齢寡婦加算	子のない妻または子が18歳（高校卒業の年齢）になった後の妻に、遺族基礎年金に代わって支給される	妻が40歳〜65歳になる直前まで	612,000円
	経過的寡婦加算	中高齢寡婦加算がなくなり、自分の老齢基礎年金を受給すると年金額が低くなる人が多いため、差額を補う	65歳以降の妻	生年月日別に定額（昭和31年4月2日以降生まれの人は受給できない）

※それぞれの要件は、各制度のページを参照。

遺族基礎年金の受給要件（国民年金）①

18歳未満の子が いないともらえない

3つの要件をすべて満たせば受給できる

夫が自営業であった場合など、国民年金の要件しか満たさないときは、国民年金しか受給できません。厚生年金や共済組合に加入していた場合は、要件があえば同時に国民年金も受給できます。

国民年金から遺族年金を受給するには、3つの要件をすべて満たす必要があります（→次ページ①～③）。

もらえるのは子のある配偶者と子だけ

遺族基礎年金を受給することができる遺族は、死亡した人によって生計を維持していた「18歳未満の子がいる配偶者」と「18歳未満の子」です。

子の要件は、特別支給の老齢厚生年金の加給年金や、障害基礎年金の子の加算額など、みな同じです。

子がいなければ対象外

子がいない妻や、18歳を過ぎた子を持つ妻は受給することができません。こ

こでいう「妻」に、これまで「夫」は含みませんでしたが、平成26年4月からは、法改正により、父子家庭も対象になりました。

また、この場合の「生計維持」とは、一般の「扶養家族」よりも範囲は広く考えられており、年収850万円未満とされています（→MEMO）。

生計維持には2つの要件がある

遺族の要件である「死亡した人によって生計を維持していた」には、年収850万円未満の収入の要件を満たす他に、「生計が同一であること」という要件があります。

「生計が同一であること」とは、一般的に、死亡した人と同居していたことをいいます。次の両方を満たす場合には、例外的に別居していても、生計が同一として認められます。

①別居がやむを得ない事情によること
　（単身赴任や就学、入院生活等）
②父母、孫、祖父母のときは、生活費が仕送りされているなどの経済的援助が行われていること

　前年の年収が850万円以上でも、5年以内に定年退職し、850万円未満となるときは、収入の要件を満たします。

遺族基礎年金を受け取る要件

①死亡した人の要件

| 国民年金に加入中の人 | 国民年金に加入していた人で日本国内に住所があり、かつ、60歳以上65歳未満の人 | 25年以上加入して老齢基礎年金を受給中の人 | 25年以上加入して老齢基礎年金の受給資格期間（→71ページ）を満たしている人（10年に短縮されず25年以上） |

▼

②保険料納付要件（次ページで説明）

▼

③遺族の要件

「18歳未満の子のある配偶者」または「18歳未満の子」
- ●「配偶者」の要件（すべてを満たす人）
  - ●死亡した人によって生計を維持していた
  - ●次の要件にあてはまる子と生計を同じくしている人
- ●「18歳未満の子」の要件（すべてを満たす人）
  - ●死亡した人によって生計を維持していた
  - ●「18歳に達する日以後の最初の3月31日までの間にある子（一般的には高校卒業まで）」
    または「障害等級が1級、2級の状態にある20歳未満の子」
  - ●結婚していない人

※養子縁組をした子の扱い
- ●養子縁組の届出がきちんとされている子だけが、死亡した人の子とみなされます。
- ●事実上、養子縁組と同じ状況であっても、届出がなければ死亡した人の子とはみなされません。

▼

遺族基礎年金を受け取ることができます

■戸籍上の妻と内縁の妻がいる場合の遺族基礎年金

ケース① 戸籍上の妻も内縁の妻にも18歳未満の子どもがいる場合
- ●戸籍上の妻との別居がおおむね10年以上で生計維持関係がない場合には、内縁の妻に遺族年金をもらう資格があります。
- ●10年未満の別居の場合は、戸籍上の妻が遺族基礎年金をもらうことができます。

ケース② 内縁の妻にだけ18歳未満の子どもがいる場合
- ●「18歳未満の子どもがいる」が要件となるので、子どものいない戸籍上の妻は遺族基礎年金を受け取ることはできません（内縁の妻が受け取る）。
- ●戸籍上の妻が内縁の妻の子と生計を同じくしている（同居している）場合には、戸籍上の妻に遺族基礎年金が支給されます。

遺族基礎年金の受給要件（国民年金）②

滞納が長いともらえない

国民年金の滞納をしてはならない

国民年金を滞納すると、障害者になっても障害基礎年金が支給されない場合があると説明しました（→32ページ）。

遺族基礎年金にも、同様の保険料の納付要件があり（→次ページ）、**国民年金を滞納すると、遺族基礎年金を受け取れない**場合があるので注意が必要です。

前ページの「①死亡した人の要件」のうち、「国民年金に加入中の人」とは、日本国内に住所があるすべての人をいいます。つまり、日本国内に住所がある人で20歳～65歳の人が亡くなった場合は、**前1年間に保険料の滞納がなければ、「①死亡した人の要件」も「②保険料納付要件」も満たす**ということになります。

老齢基礎年金を受給中の人は25年以上加入が必要

老齢基礎年金は、保険料納付済期間と保険料免除期間をあわせて10年以上あればもらえます。しかし、遺族基礎年金を受け取るには、10年に短縮されず、25年必要です。

そのため、老齢基礎年金を受給中の人が亡くなっても、遺族基礎年金をもらえるとは限りません。

ただし、厚生年金加入期間15年～19年、または厚生年金加入期間（共済年金含む）20年～24年の期間短縮の特例はあります（→71ページ）。

また、大正15年4月1日以前に生まれた次の人は対象になります。
- 旧厚生年金の老齢年金の受給資格期間を満たしている人　または
- 1級または2級の障害年金の受給権者が昭和61年4月1日以降に死亡した場合

内縁関係でも認められる

遺族基礎年金を受給することができる「妻（夫）」には、内縁の妻（夫）も含まれています（近親婚は除く）。

内縁の妻（夫）が事実上婚姻関係であるということを証明する必要があり、たとえば、次のものを用意します。
- 健康保険の被扶養者となっている、給与の扶養家族手当の対象となっている
- 連名の郵便物
- 同居の事実について第三者の証明書など

 直前1年間に保険料の滞納がなければ、保険料納付要件を満たすというのは、特例です。平成28年3月31日までとされていましたが、2026年3月

保険料納付要件

● ①または②のいずれかを満たすことが要件です。
① 死亡日の前々月までの被保険者期間のうち、保険料納付済期間と保険料免除期間をあわせて3分の2以上であること（死亡日の前日でみる）。
② 死亡日の前々月までの1年間に保険料の滞納がないこと（2026年3月31日までの特例）。死亡日において、65歳未満の人に限られる。

ケース1

| 未納期間 6年 | 保険料免除期間 5年 | 保険料納付済期間 13年 |

24年　　死亡日

免除期間5年＋納付済期間13年 ＞ 24年 × $\frac{2}{3}$

→ ①の要件を満たします（このケースでは②の要件も満たしています）。

遺族基礎年金がもらえます

ケース2

| 保険料納付済期間 2年 | 保険料納付済期間 5年 | 未納期間 8年 |

15年　　死亡日

① 納付済期間2年＋納付済期間5年 ＜ 15年 × $\frac{2}{3}$ ・・・✗

② 死亡日までの前々月までの1年間も滞納がある・・・✗

→ どちらの要件も満たしていません。

遺族基礎年金がもらえません

遺族基礎年金の受給額（国民年金）、支給停止と失権①

遺族基礎年金は妻と子2人で月10万円

支給額は老齢基礎年金と同額

遺族基礎年金の額は、死亡した人の国民年金の加入期間や保険料を納付した期間、免除された期間にかかわらず、**老齢基礎年金と同額の816,000円**です。これに、**18歳未満の子どもの人数に応じて加算されます**。妻（夫）子がいる場合、子には支給されず、子の分もあわせて妻（夫）に支給されます。

妻（夫）がすでに亡くなっている場合には、子に対して年金が支給されます。子に対する年金額は、3人目以降は少ない金額に定められていますが、1人目、2人目の子が多くもらえて得なわけではありません。実際に支給される際には、**合計した金額を割って、どの子にも均等に支給される**からです。

高校を卒業すると減額される

夫の死亡当時に胎児であった子が生まれたときには、その時から遺族の範囲に含まれ、誕生月の翌月から、遺族基礎年金は増額されます。

また、子が高校を卒業した時など、次ページの図に該当するときは、翌月から子の加算額が減額されます（ここでいう結婚や養子は、届出をしていなくても事実上同様である場合を含む）。

すべての子が高校を卒業するなどによって権利がなくなれば、遺族基礎年金は妻（夫）の分も支給されなくなります。

夫にも支給される

遺族基礎年金は、「18歳未満の子のいる妻」と「18歳未満の子」だけに支給されました。しかし、平成26年4月からは法改正により、**「18歳未満の子のいる夫」も対象**になりました。

これまでは、夫が働き、妻が専業主婦の家庭をモデルとして、年金制度が作られてきました。しかし、今は夫婦共働きの家庭が増えています。また、万が一、妻が亡くなれば、育児や子どもの世話を誰かに依頼する必要も出てくるかもしれません。改正は、現代の家族の実態にあわせたものといえるでしょう。

ただし、平成26年4月以前に父子家庭になった場合は支給されません。

 遺族基礎年金を受け取れる遺族の範囲は、旧制度の母子年金、準母子年金、遺児年金を引き継ぎ、「子のある妻」と「子」だけになっていました。

配偶者に支給する遺族基礎年金の額（年）

816,000円※ ＋ 子の加算

子の加算額

子の数	年金額
子1人目、2人目	1人につき　234,800円
子3人目以降	1人につき　78,300円

※配偶者が昭和31年4月1日以前生まれの方は813,700円。

年金額の改定

●配偶者に対する年金額は、子が次の理由に該当するとき改定されます。

①死亡したとき
②結婚したとき
③配偶者以外の人の養子になったとき
④離縁により、死亡した人の子でなくなったとき

⑤配偶者と生計を同じくしなくなったとき
⑥高校を卒業したとき（18歳に達した日以後の最初の3月31日が終了したとき）
⑦障害のある子が20歳になったとき
⑧障害のある子が高校卒業後20歳になるまでに、障害の状態でなくなったとき

■子に対する年金の支給停止
●子に対する年金は、次の場合に支給が停止されます。

①配偶者に受給権があるとき
（配偶者に支給される）
②生計を同じくするその子の父または母がいるとき

遺族基礎年金の支給停止と失権②（国民年金）

再婚したらもらえなくなる

独立すれば権利を失う

　遺族基礎年金は、夫が亡くなった後に残された妻と子のためのいわば「養育費」です。そのため、遺族基礎年金を受け取る権利は、妻や子どもが死亡したときや、結婚（再婚）したときには、なくなります。

　対象になるすべての子が高校を卒業したり、妻以外の人の養子になると、「養育費」は必要なくなるため、妻に対しての遺族基礎年金はすべて支給されなくなります（平成26年4月以降は夫も同様）。

　これに対し、子どもは、**祖父母の養子になった場合や妻（母）と生計を同じくしなくなった場合でも権利はなくなりません**（→次ページ）。

　なお、権利がなくなることを「失権」といい、**一度失権すると、再び支給されることはありません。**

　遺族基礎年金を受給している女性が再婚しその後離婚しても、以前もらっていた遺族基礎年金を受給することはできません。再婚により一度失権しているので、権利が復活することはないからです。再婚は事実婚・内縁関係も含みます。

支給停止の理由がなくなれば支給される

　遺族基礎年金は、他の年金と調整されたり（→229ページ）、他の受給権者との関係で調整されたりすると支給が停止されます。

　妻（夫）と子が遺族基礎年金を受給することができるときは、子に対する年金は支給停止され、妻（夫）に対して子の分も支給されます。

　平成19年4月より、妻（夫）の選択によって自分の年金を受け取らないこともできるようになりました。この場合は、**子どもに対する支給停止が解除され、子どもに遺族基礎年金が支給されます。**

　「支給停止」は「失権」とは異なり、その事由がなくなれば、再び受給することができます。支給停止を受けた受給権者は、**いつでもその支給停止の解除を申請することができます。**

　子が遺族基礎年金の受給権者である場合、父や母と生計を同じくする間は支給停止されますが、その事由がなくなれば、（生計を別にすれば）遺族基礎年金を受け取ることができます。

 同じ家族でも遺族基礎年金を妻（夫）が受け取ることと子が受け取ることには大きな違いがあります。たとえば、妻（夫）に資産がたくさんあると、

こんなときに受け取る権利がなくなる（失権）

配偶者	子
①死亡したとき ②結婚したとき ③直系血族または直系姻族（→175ページ）以外の養子になったとき ④遺族基礎年金の対象になる子がいなくなったとき	①死亡したとき ②結婚したとき ③直系血族または直系姻族以外の養子になったとき ④離縁により、死亡した人の子でなくなったとき ⑤高校を卒業したとき（18歳に達した日の最初の3月31日が終了したとき） ⑥障害のある子が20歳になったとき ⑦障害のある子が高校卒業後20歳になるまでに、障害の状態でなくなったとき

■子が高校卒業前後の年金額（例）

▼夫の死亡　　　　　　　　　　　　　▼子1人高校卒業　　　　　▼子2人高校卒業

子（15歳）	234,800円		
子（12歳）	234,800円		受給権の消滅
妻	816,000円※		

← 1,285,600円 →　← 1,050,800円 →

※昭和31年4月1日以前生まれの方は813,700円。

所在不明の支給停止

● 妻（夫）または子どもの所在が1年以上わからない場合には、所在不明になったときにさかのぼって、支給停止されます。
● この支給停止は、受給権者が妻（夫）のときは、次の受給権者である子どもが、受給権者が子どものときは、他の受給権者である子どもが申請することにより行われます。

▼行方不明　　　　　　　　　　　　　　　　　　　　　　▼支給停止の申請

　　　　　　　　　　　1年以上

　　　　　さかのぼって支給停止される

故意の場合は支給されない
遺族基礎年金、遺族厚生年金、寡婦年金、死亡一時金は、被保険者を故意に死亡させた者には支給されません。

妻（夫）が死亡したとき、子は相続税を納めなければなりません。しかし、子が遺族基礎年金として直接受け取るものには課税されません。

60歳～64歳の寡婦年金（国民年金）

寡婦年金は女性だけの年金

自営業者の妻だけに 60歳から支給される

寡婦年金は、第1号被保険者の夫が死亡した場合に、60歳から65歳になる直前まで妻に支給されます。
●夫は国民年金の第1号被保険者として、保険料納付済期間と保険料免除期間をあわせて10年以上なければもらえない。
この期間に厚生年金加入期間や合算対象期間を加えることはできません。また、
●結婚（事実婚を含む）が10年以上継続していなければならない。
夫と妻の要件（→次ページ）をすべて満たしているとき、妻が60歳から65歳直前まで、支給されます（→次ページ）。
寡婦年金は、死亡した夫の保険料の掛け捨て防止のための年金です。
夫が老齢基礎年金または障害基礎年金を受給したことがあった場合は支給されません。

老齢基礎年金の4分の3を受給できる

寡婦年金の額は、老齢基礎年金の4分の3です。

ただし、一律に計算するのではなく、夫の死亡時において、夫がもらうはずだった保険料納付済期間と保険料免除期間から計算した老齢基礎年金の額を使います（→82ページ）。
加入可能年数（→81ページ）も死亡した夫の生年月日に応じて異なります。
老齢基礎年金の受給資格要件が25年から10年に短縮されたことに伴い、寡婦年金も10年でもらえるようになりました。ただし、掛けた期間が少ない分受給額も少なくなります。

繰上げ支給を受けると 寡婦年金は受給できない

寡婦年金の受給権は、次の場合に権利がなくなります（失権）。
①65歳になったとき
②死亡したとき
③結婚したとき
④直系血族または直系姻族（→175ページ）以外の人の養子となったとき
⑤老齢基礎年金の繰上げ支給を受けたとき
寡婦年金は、**老齢基礎年金の繰上げをすると受給できなくなる**ので注意が必要です。

 寡婦年金は、女性だけがもらえる国民年金独自の給付です。妻が死亡しても支給されません。

寡婦年金の額（年）

老齢基礎年金は夫の第1号被保険者の期間だけで計算します。

$$老齢基礎年金 \times \frac{3}{4}$$

※老齢基礎年金は82ページ参照。

■受給要件

死亡した夫の要件	妻の要件
①死亡した月の前月までに、第1号被保険者としての保険料納付済期間と保険料免除期間を足した期間が10年（平成29年7月までは25年）以上である（死亡日の前日でみる）。 ②老齢基礎年金または障害基礎年金を受給したことがない。	夫の死亡時において、 ①夫によって生計を維持していた。 ②夫との結婚が10年以上継続していた（事実婚を含む）。 ③65歳未満である。

遺族基礎年金と寡婦年金

遺族基礎年金、遺族厚生年金と寡婦年金を同時に受給することはできません。

ケース1 遺族基礎年金を受給後、寡婦年金を受給する

ケース2 遺族基礎年金と寡婦年金を受給する時期が同時

死亡一時金（国民年金）

死亡一時金の遺族の範囲は広い

寡婦年金を受け取れなくても死亡一時金がある

　自営業の夫が亡くなったとき、18歳までの子どもがいなければ、その妻は遺族基礎年金を受給できません。このとき、亡くなった夫が老齢基礎年金の受給資格期間を満たしていれば、妻は寡婦年金を受け取ることができます。

　受給資格期間を満たしていない場合は寡婦年金を受給することはできませんが、要件があえば死亡一時金を受給することができます。

　ただし、死亡一時金は、1回だけの「一時金」であり、毎年もらえる老齢基礎年金や寡婦年金と比べるとかなり少額です。

夫や父母も受給できる

　死亡一時金は、第1号被保険者としての国民年金保険料を36か月（3年）以上納めている人が、老齢基礎年金や障害基礎年金を受給することなく亡くなった場合に、要件を満たしていれば、支給されるものです。

　死亡一時金も国民年金保険料の掛け捨て防止策の1つです。

　遺族基礎年金を受給できるのは18歳未満の子がいる妻（夫）と子だけであるため、18歳未満の子がいない妻（夫）が亡くなった場合や独身者が亡くなった場合は掛け捨てになってしまいます。

　そのため、死亡一時金を受給することができる遺族の範囲は広く、父母や兄弟でも生計を同じくしていれば生計を維持していなくても受給できる可能性があります。

　なお、遺族基礎年金を受給することができる遺族がいる場合には、原則として死亡一時金は支給されません。

死亡一時金は12万円～32万円

　死亡一時金の額は、国民年金の第1号被保険者として保険料を納めた期間に応じて決まっています。保険料免除期間がある人には一定の割合を乗じて加えます（→次ページ）。

　また、付加保険料の納付済期間が36か月（3年）以上ある人が亡くなった場合には、死亡一時金に8,500円が加算されます。

 夫婦の間に子がなく、夫が死亡したときに先妻の子がいる場合、その子が先妻（実母）と一緒に住んでいるために遺族基礎年金が支給停止されてい

死亡一時金の額

第1号被保険者として保険料を納付した期間で計算します。

保険料納付済期間	支給額
36か月以上180か月未満	120,000円
180か月以上240か月未満	145,000円
240か月以上300か月未満	170,000円
300か月以上360か月未満	220,000円
360か月以上420か月未満	270,000円
420か月以上	320,000円

※次の期間は、保険料納付済期間に加える。
4分の1免除の月数 × $\frac{3}{4}$
半額免除の月数 × $\frac{1}{2}$
4分の3免除の月数 × $\frac{1}{4}$
全額免除期間は含めない。

■受給要件

死亡した人の要件	遺族の要件
①死亡した月の前月までに、国民年金の第1号被保険者(任意加入被保険者を含む)としての期間があわせて36か月以上あること。 　保険料納付済期間 　「4分の1免除期間」の月数×4分の3 　「半額免除期間」の月数×2分の1 　「4分の3免除期間」の月数×4分の1 ②死亡した人が、老齢基礎年金、障害基礎年金のいずれも受給していないこと。	死亡した人と生計を同じくしていた、①配偶者、②子、③父母、④孫、⑤祖父母、⑥兄弟姉妹であること。 ●上の番号の順位で受給する権利がある。 ●同順位の遺族が2人以上いる場合には、そのうちの1人が請求をし、その1人に死亡一時金を支給することにより、全員に支払われたことになる。

※原則として、遺族基礎年金を受けられる遺族がいるときは、死亡一時金は受給できない。
※寡婦年金と死亡一時金の両方を受給することはできない。
※免除期間は43ページ参照。

■死亡一時金の手続き

死亡一時金の手続きでは、次の書類を市役所窓口へ提出します。

必要書類(主なもの)
●国民年金一時金請求書　　　●死亡した人と請求者の住民票 ●死亡した人の年金手帳　　　●戸籍謄本(記載事項証明書)(死亡した人 ●請求人の預金通帳　　　　　　との関係が確認できるもの)

るときは、妻は死亡一時金を受け取ることができます。

第5章 遺族年金のしくみ

寡婦年金と死亡一時金（国民年金）

寡婦年金と死亡一時金は有利なほうを選択する

寡婦年金は60歳にならないと支給されない

寡婦年金と死亡一時金のどちらも受け取る権利があるからといって、両方受給できるわけではなく、どちらか一方だけを選択することになります。一方を選択すると、もう一方を受給する権利はなくなります。

どちらも受給できるときは、有利なほうを選びましょう。妻が将来受給できる年金の種類や妻の厚生年金の加入期間によってどちらが有利かは違ってきます。

ここで問題になるのが、この2つは受給する時期が異なることです。

死亡一時金は2年以内に請求する

寡婦年金は妻が60歳にならないと受給できません。たとえば55歳で夫が死亡した子のない妻の場合、寡婦年金の受給は5年も先になります。

一方、**死亡一時金は2年以内に請求**しなければ権利は消滅します。また、死亡一時金を請求すると、後で寡婦年金を受給することができなくなります。

なお、遺族基礎年金、遺族厚生年金（中高齢寡婦加算含む）、寡婦年金、死亡一時金は所得税も相続税も非課税ですが、老齢年金は所得税が課税されます。

死亡一時金と寡婦年金を選ぶためのヒント（自営業だけ）

ケース 夫が自営業だけ（厚生年金・共済年金に加入していない）で亡くなった

①寡婦年金を選択したほうが有利な場合
● 妻が国民年金だけに加入していたとき… 60歳台前半の特別支給の老齢厚生年金は受給できない

②死亡一時金を選択したほうが有利な場合
● 60歳前に再婚するとき…寡婦年金は受給できない

③妻に厚生年金の加入期間がある場合
A. 死亡一時金の額＋60歳台前半の特別支給の老齢厚生年金の合計額
B. 60歳から65歳までの寡婦年金の合計額
　　→ AとBの額を比べて、有利なほうを選択する

 寡婦年金は「年金」として毎年受け取ることができますが、死亡一時金は1回きりの受給で終了します。

死亡一時金と寡婦年金を選ぶためのヒント（厚生年金加入あり）

 夫

以前、自営業25年 （第1号被保険者）	現在、サラリーマン （第2号被保険者）15年

 妻

夫とともに自営業25年 （第1号被保険者）	第2号被保険者 10年	第3号被保険者 5年

ケース 妻が55歳のとき、夫が現職で亡くなった（子どもなし）

この妻は、遺族厚生年金のほかに、寡婦年金と死亡一時金のどちらかをもらうことができます。
このとき、年金額だけでみれば、寡婦年金のほうが得ですが、妻が60歳になったときのことを考えておく必要があります。

この妻は、60歳になった時点で、次の3つのうちから1つを選択することになります
（65歳以降の選択は225ページ）。

選択1 遺族厚生年金

60歳　　　　　　　65歳
▼　　　　　　　　▼

遺族厚生年金

中高齢寡婦加算

選択2 特別支給の老齢厚生年金
生年月日により、支給開始は異なる

60歳　　　　　　　65歳
▼　　　　　　　　▼

報酬比例部分

定額部分

この例では、選択1が一番得をするケースが多いようです。
なぜなら、夫の厚生年金加入期間は15年ですが、遺族厚生年金の場合は25年とみなされ、中高齢寡婦加算もプラスされるからです。

選択3 寡婦年金

60歳　　　　　　　65歳
▼　　　　　　　　▼

寡婦年金

 結論

遺族厚生年金を選択するのであれば、60歳からの寡婦年金は受給できなくなるので、死亡一時金を受給するのが有利な選択です。

注意 損得はケースによるので、試算したうえで選択すること。

第5章　遺族年金のしくみ

遺族厚生年金の受給要件

老後の死亡には 25年加入が要件

国民年金と同様に 3つの要件がある

　厚生年金に加入中の人などが亡くなったときで、一定の条件を満たしている場合は、その遺族に遺族厚生年金が支給されます。

　遺族厚生年金を受け取るには、遺族基礎年金と同じように、次ページ①～③の3つの要件を満たさなければなりません。

　遺族厚生年金の受給要件の「①死亡した人の要件」をみると、原則として、**死亡日の時点で厚生年金に加入中かどうかがポイント**になっています。

　会社を退職すると、自動的に厚生年金の加入はなくなります。不幸にも退職後に事故などで亡くなったとしても、遺族厚生年金を受給することはできなくなります（25年以上加入での老齢厚生年金や障害厚生年金を受給する権利を有しない場合）。

　この他、厚生年金に加入している間に初診日がある傷病で初診日から5年以内に亡くなったケースや1級または2級の障害年金をもらっている人が亡くなったケースでも、遺族厚生年金が支給されます。

滞納期間が長いと 受給できない

　遺族厚生年金にも、国民年金の遺族基礎年金と同様の保険料納付要件があります。

　厚生年金に加入している期間は、滞納ということは原則としてありません。しかし、厚生年金に加入する前に国民年金を滞納していた人などは要注意です。

　この場合、2年前まではさかのぼって納付することができます。

　共済年金に保険料納付要件はありませんでした。平成27年10月の一元化以降、公務員等もこの要件が適用になりました。

老齢年金受給中の人が亡くなっても25年なければもらえない

　老齢年金の受給資格期間が10年に短縮されました。しかし、**遺族厚生年金の長期要件は25年のまま**です（厚生年金加入期間15年～19年、または厚生年金加入期間（共済年金含む）20年～24年の期間短縮の特例あり（→71ページ））。

　老齢年金を受給中の人が亡くなっても、遺族は必ずしも遺族厚生年金を受給できるわけではありません。

168　　飛行機や船の事故などで死亡の時期がわからないときは、行方不明になった日に死亡したものと推定します。この場合は「推定する」ので「みなす」

遺族厚生年金の受給要件

①死亡した人の要件
（a～cを短期要件、dを長期要件といいます。これらは年金の計算方法が異なります）

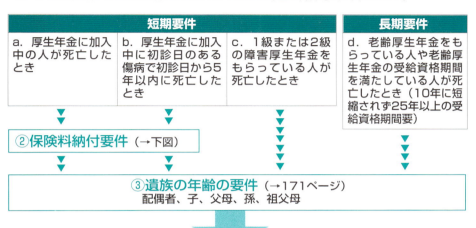

■保険料納付要件

- 次のいずれかを満たしていることが必要です。
- 厚生年金加入期間は、原則として保険料納付済期間としてカウントします。
① 保険料納付済期間と保険料免除期間をあわせて3分の2以上であること（死亡日の前日でみる）
② 死亡日の前々月までの1年間に保険料の滞納がないこと（2026年3月31日までの特例）

※②は死亡日において、65歳未満の人に限られる。

場合とは異なり、本当の死亡日や生きていたことなどがわかれば、変更される可能性があります。

遺族厚生年金の受給権者

30歳以上の妻は生涯受給できる

子どもがいない妻や夫も受給できる

遺族厚生年金を受給できる遺族は、死亡した人によって生計を維持していた（→154ページ）**配偶者、子（第1順位）、父母（第2順位）、孫（第3順位）、祖父母（第4順位）**です。

兄弟姉妹・義父母はこの場合の遺族に含まれません。

遺族厚生年金が遺族基礎年金（→154ページ）と大きく異なる点は、受給する権利のある人が幅広いことです。遺族厚生年金の場合は、子のない妻や夫、父母も受給することができます。ただし、夫や父母、祖父母は年齢の要件があり、死亡した当時55歳以上だった人が60歳になった時から支給されます（→次ページ）。

なお、夫が死亡した子どものいない30歳未満の妻は、5年間だけしか受給することができません（→174ページ）。

後順位の人は受給できない

順位が先の人が遺族厚生年金を受給する権利を得たときは、順位が後の人は、遺族厚生年金を受け取る権利がなくなります。

たとえば、夫が死亡したために、妻と子が受給すると、死亡した人の父母は受給することができなくなります。

また、胎児が生まれると、その子はそれ以降受給権者となります。そのため、後順位である父母や祖父母などが受給していても、胎児が生まれた場合は、それ以降は父母や祖父母が受給することはできなくなります。

要件があえば2階建てで受給できる

厚生年金に加入している人は、同時に国民年金にも加入しています。そのため、**要件があえば、国民年金からも遺族基礎年金を受給することができます。**

妻（夫）が遺族である場合、高校卒業までの子や20歳未満の障害の子がいるときは、遺族基礎年金と遺族厚生年金が2階建てで支給されます。

高校卒業までの子や20歳未満の障害の子が遺族として受給する場合も同様です。

 共済年金には、「転給」の制度がありました。これは、前順位の人が受け取る権利を失ったときは、後順位の人に権利が移転し、後順位の人が受給

遺族の年齢の要件

順位	遺族	年齢の要件
1	妻	●要件はなし
	夫	●55歳以上であること（60歳から支給）
	子	●18歳に達する日以後の最初の3月31日までの間にある子 ●20歳未満で障害の状態にある子
2	父母	●55歳以上であること（60歳から支給）
3	孫	●18歳に達する日以後の最初の3月31日までの間にある子 ●20歳未満で障害の状態にある子
4	祖父母	●55歳以上であること（60歳から支給）

■遺族厚生年金だけをみたときのイメージ（概略）

ケース1 妻
●原則として死亡するまで受給できます（再婚などによって受給できなくなる場合を除く）。
●自分の老齢厚生年金とは併給調整されます（→226ページ）。
●子のない妻が30歳未満のときは5年間だけ受給できます。

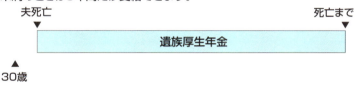

ケース2 夫や父母、祖父母
●死亡当時、受給権者が55歳以上のときに60歳から受給できます。
●原則として死亡するまで受給できます（再婚などによって受給できなくなる）。
●自分の老齢厚生年金とは併給調整されます（→227ページ）。

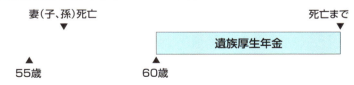

ケース3 子、孫
●原則として18歳に達する日以後の最初の3月31日まで受給できます（障害がある場合は20歳まで）。

することができるというものです。法改正により、平成27年10月以降は厚生年金に統一され、廃止されました。

遺族厚生年金の額

若くして亡くなっても 25年加入とみなされる

遺族厚生年金は老齢厚生年金の4分の3

遺族厚生年金の額は、**亡くなった人の老齢厚生年金の4分の3**です。

亡くなった人が厚生年金に加入していた月数や給料・ボーナスの額をもとに計算されます。在職期間が長い人や給与・ボーナスが多い人ほど、遺族厚生年金の額は多くなります。

短期要件は加入期間25年が保障される

遺族厚生年金の年金額の計算方法は、短期要件なのか、長期要件なのかによって違ってきます。どちらにあてはまるかは、**死亡したときの厚生年金の状況**によって判断します（→169ページ）。

簡単にいうと、亡くなった人の老齢厚生年金で生計を立てていた場合が長期要件、そうでない場合が短期要件です。

障害厚生年金を受給していて、老齢厚生年金を受給する権利がある人が亡くなったときなど、短期要件にも長期要件にも該当する場合があります。この場合は、遺族が年金を請求するときに、「申し出た場合」には長期要件となり、「何も申し出がないとき」は、短期要件として計算されます。

短期要件に該当する場合は、亡くなった人の厚生年金加入期間が25年（300月）未満であっても、**25年（300月）加入したものとして計算**をします。

長期要件は受給中の老齢厚生年金の4分の3

長期要件に該当する場合は、加入期間の月数は**実際の厚生年金の加入期間で計算します**。

老齢年金の受給資格期間が10年に短縮されましたが、老齢厚生年金の長期要件は短縮されず、25年のまま変わりません。そのため、老齢年金を受給中の人が亡くなっても、遺族は必ずしも遺族厚生年金を受給できるとは限りません。

長期要件の計算式では、一律の乗率ではなく、生年月日別に異なる乗率を掛けて計算します（→89ページ）。これは、老齢厚生年金の計算式と同様に、昭和21年4月1日以前に生まれた人が対象で、乗率も同じです。

老齢厚生年金を受給中の人が亡くなる

 妻や夫以外の遺族の場合で、受給する権利のある人が2人以上いるとき、遺族厚生年金の1人あたりの金額は受給権者の人数で割った額となります。

と、受給中の額の4分の3が支給されることになりますが、繰下げ支給を受けている場合などは注意が必要です。

繰下げをしても遺族厚生年金では増額前の額で計算します。また、亡くなった人が経過的加算を受けている場合は、その分を除いて計算します。

長期要件に該当する人で、会社員のほか、公務員として共済組合にも加入していた人の場合は、別々に計算し、それぞれの実施機関から支払われます。短期要件に該当する人の場合は、死亡日に加入していた実施機関から、他の実施機関分もあわせて計算し、支払われます。

遺族厚生年金の額（年）

$$\text{老齢厚生年金} \times \frac{3}{4}$$

- 老齢厚生年金の計算式は、報酬比例部分と同じです（→88ページ）。繰下げ支給を受けている人は、増額された分、増えるわけではありません。
- 長期要件の場合、生年月日に応じて乗率（→89ページ）が異なります。短期要件の乗率は一定です（(1)平成15年3月までは7.125／1,000、平成15年4月以降は5.481／1,000。または(2)平成15年3月までは7.5／1,000、平成15年4月以降は5.769／1,000）。
- 短期要件の場合は、25年（300月）未満でも300月加入したものとして計算します。

遺族厚生年金早見表（在職中に死亡した場合）

1年あたり（円）

働いた期間（年）	夫が厚生年金に加入していたときの給料の平均						
	10万円	15万円	20万円	25万円	30万円	35万円	40万円
10	160,313	240,469	320,625	400,781	480,938	561,094	641,250
15	160,313	240,469	320,625	400,781	480,938	561,094	641,250
20	160,313	240,469	320,625	400,781	480,938	561,094	641,250
25	160,313	240,469	320,625	400,781	480,938	561,094	641,250
30	192,375	288,563	384,750	480,938	577,125	673,313	769,500
35	224,438	336,656	448,875	561,094	673,313	785,531	897,750
40	256,500	384,750	513,000	641,250	769,500	897,750	1,026,000

※あくまでも概算を把握するための表。個別の金額は、年金事務所で加入記録を確認したうえで試算する。
※給料の他に、3.6か月分のボーナスがある場合で試算。将来の法改正や物価上昇等は加味していない。
※25年未満で亡くなっても、25年加入したものとして計算される。
※計算方法により、端数は異なる。

そのため、子どもの人数が多いときは、1人あたりのもらう金額が少なくなります。

遺族厚生年金の失権、支給停止

配偶者や父母は生涯受給できる

再婚すると受給できなくなる

遺族厚生年金を受給する権利は、次の場合になくなります（失権）。
①死亡したとき
②結婚したとき（事実婚も含む。結婚後、離婚しても受給権は復活しない）
③直系血族や直系姻族（→次ページ）以外の者の養子になったとき（事実上養子縁組の状態も含む）
④離縁により、死亡した人と親族関係でなくなったとき（養子縁組の解消をいう。夫が死亡した後に、妻が旧姓に戻っても受給権は消滅しない）

この他、子や孫は18歳（高校卒業の年齢。障害のある子は20歳）になったときに失権します。

30歳未満の妻は5年しか受給できない

子のいない30歳未満の妻が遺族となった場合は、5年で遺族厚生年金を受け取る権利がなくなります。

また、遺族基礎年金・遺族厚生年金を受給していた妻が30歳になる前までに遺族基礎年金を受け取る権利がなくなったときも、その時から5年間だけの年金となります（→次ページ）。

妻が遺族厚生年金を受け取れないケースもある

遺族基礎年金を妻ではなく子どもがもらうケースがあります。たとえば、妻には18歳までの子がおらず、先妻の子がいる場合です。先妻の子と生計を同じくしていなければ妻に受給する権利はなく、子どもが受給する権利を得ます。

このような場合は、妻は遺族基礎年金を受給できないだけでなく、遺族厚生年金も受給できません。

妻に対する遺族厚生年金は、妻が遺族基礎年金を受け取る権利がなく、子に受け取る権利があるときは、その間、支給停止されるというきまりがあるからです。

一方、先妻の子は、母と生計を同じくしている間は遺族基礎年金を受給できません。しかし、「父または母と生計を同じくしているときに支給停止する」という遺族基礎年金のきまりは遺族厚生年金にはないため、遺族厚生年金のみ子どもに支給されます。

 遺族厚生年金を受給していた先妻の子どもが18歳になると、その権利もなくなるので、それ以降は妻が遺族厚生年金を受給します。

血族と姻族、直系と傍系

- 血族とは血縁関係にある者をいい、姻族とは配偶者の血族および血族の配偶者を指します。
- 親族のうち、祖先から子孫へと直通する親系を直系（祖父母、父母、子、孫など）といい、これ以外の親族（兄弟姉妹、伯叔父母、甥・姪など）を傍系といいます。

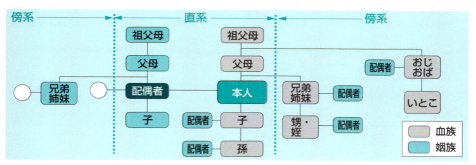

30歳未満の妻は5年で権利がなくなる

ケース1 夫の死亡当時30歳未満で子がいない妻
（遺族基礎年金を受け取る権利なし）

ケース2 遺族基礎年金・遺族厚生年金を受給していた妻が、30歳になる前までに遺族基礎年金を受け取る権利がなくなったとき

40歳～64歳の中高齢寡婦加算（厚生年金）

40歳以上の妻には60万円が加算される

遺族基礎年金の代わりにもらえる

サラリーマンの夫が死亡したとき、18歳未満の子どもがいる妻には、遺族基礎年金と遺族厚生年金が支給されますが、子のいない妻に支給されるのは遺族厚生年金だけです。また、子のいる妻でも子どもが高校を卒業すると遺族基礎年金がもらえなくなります。

小さい子がいない女性でも、夫が亡くなって仕事に就くことは簡単ではないという配慮から、40歳以上の女性だけに支給されるのが中高齢寡婦加算です。

中高齢寡婦加算は**40歳から64歳まで、遺族厚生年金の上乗せ**として加算される年金です。**加算額は、612,000円（遺族基礎年金の額の4分の3。100円単位）**です。

40歳未満の子のない妻には支給されない

妻が次のいずれかに該当するときは、65歳になるまで、中高齢寡婦加算が支給されます。ただし、**遺族基礎年金を受給できる間は、両方はもらえず中高齢寡婦加算は支給停止**となります。
①夫の死亡当時40歳（平成19年3月までは35歳）以上65歳未満の子のない妻
②40歳になったとき、遺族基礎年金の支給要件となっている子（→155ページ）と生計を同じくしている妻

夫の死亡当時**40歳未満の子のない妻は、40歳になっても支給されません**。つまり、40歳未満で未亡人になったときは、自分の老齢年金を受給する年齢になるまで、遺族厚生年金しか受給できないことになります。30歳未満では、その遺族厚生年金も5年だけです（→174ページ）。

長期要件では加入期間の要件を満たさなければならない

この他、中高齢寡婦加算を受給する要件として、死亡した夫が長期要件（→169ページ）に該当するときは、**夫の厚生年金の加入期間が20年以上あることが必要**です。中高齢の特例（→71ページ）に該当する場合は、生年月日に応じて15～19年必要です。

短期要件（→169ページ）に該当する場合は、加入期間の要件はありません。

 死亡した夫が長期要件に該当するときは、厚生年金に加入していた期間が20年以上必要ですが、一元化により、共済組合に加入していた期間も合算

176

中高齢寡婦加算額

40歳 ～ 65歳　中高齢寡婦加算　**612,000円**

■妻が何歳のときからもらえるの？

●以下の要件1または2に該当しなければなりません。

要件1　夫の死亡当時40歳以上65歳未満の子のない妻　➡　**その時から**

▼夫死亡
遺族厚生年金	
中高齢寡婦加算	経過的寡婦加算
	老齢基礎年金

妻40歳▲　　　　　　　　　　　　　▲65歳

要件2　40歳になったとき、遺族基礎年金の支給要件となっている子と生計を同じくしている妻

➡　**遺族基礎年金が受給できなくなったときから**

▼夫死亡
遺族厚生年金		
遺族基礎年金	中高齢寡婦加算	経過的寡婦加算
		老齢基礎年金

妻40歳▲　　▲妻43歳　子が高校卒業　　▲65歳

■支給されないケース

ケース1　夫の死亡当時40歳未満の子のない妻

▼夫死亡
| 遺族厚生年金 |
| 老齢基礎年金 |

38歳▲　　▲40歳　　▲65歳

ケース2　40歳になったとき、すでに子が高校を卒業している妻

▼夫死亡
| 遺族厚生年金 | |
| 遺族基礎年金 | 老齢基礎年金 |

子が高校卒業▲　　▲40歳　　▲65歳

します。

65歳からの経過的寡婦加算（厚生年金）

経過的寡婦加算は昭和31年生まれまで

自分の老齢基礎年金との受給額の差を埋める

　中高齢寡婦加算を受給している人のうち、昭和31年4月1日以前生まれの人には、65歳以降は、中高齢寡婦加算に代わって、経過的寡婦加算という年金が加算されます。

　これは、中高齢寡婦加算の額より、65歳からもらう自分自身の老齢基礎年金の額が低くなる人もいるので、その差額分を補うためのもので、妻には生涯支給されます。

　昭和61年4月1日に年金の改正があり、国民年金は強制加入になりました。それ以前は国民年金の加入は任意だったため、昭和61年以降すべての期間国民年金に加入しても、中高齢寡婦加算よりも自分の老齢基礎年金が低くなる人がたくさん出たのです。

今だけの加算だから経過的加算という

　経過的寡婦加算は610,300円（昭和2年4月1日以前生まれ）から20,367円（昭和30年4月2日～昭和31年4月1日）の間で**妻の生年月日に応じて額が決まっています**（→次ページ）。金額は徐々に少なくなり、昭和31年4月2日以降生まれの人には支給されません。

経過的寡婦加算のかたち

```
▼夫死亡
┌─────────────────────────────────┐
│         遺族厚生年金              │
├──────────────────┬──────────────┤
│   中高齢寡婦加算   │ 経過的寡婦加算│
│                  ├──────────────┤
│                  │  老齢基礎年金 │
└──────────────────┴──────────────┘
▲妻40歳              ▲65歳
```

■経過的寡婦加算額

　　　　　　　　　　　　　　0～480分の348まで（→次ページ）

中高齢寡婦加算額 － 老齢基礎年金 × 寡婦の生年月日に応じて定める率

 65歳以降に夫が亡くなり、はじめて遺族厚生年金を受給するようになった妻も、要件（昭和31年4月1日以前生まれの人）を満たしている場合には、

妻の生年月日別の経過的寡婦加算額

生年月日	率	経過的寡婦加算額（前ページの計算式で計算した額）
大正15年4月2日 ～ 昭和 2年4月1日	0	610,300 円
昭和 2年4月2日 ～ 昭和 3年4月1日	12／312	579,004 円
昭和 3年4月2日 ～ 昭和 4年4月1日	24／324	550,026 円
昭和 4年4月2日 ～ 昭和 5年4月1日	36／336	523,118 円
昭和 5年4月2日 ～ 昭和 6年4月1日	48／348	498,066 円
昭和 6年4月2日 ～ 昭和 7年4月1日	60／360	474,683 円
昭和 7年4月2日 ～ 昭和 8年4月1日	72／372	452,810 円
昭和 8年4月2日 ～ 昭和 9年4月1日	84／384	432,303 円
昭和 9年4月2日 ～ 昭和10年4月1日	96／396	413,039 円
昭和10年4月2日 ～ 昭和11年4月1日	108／408	394,909 円
昭和11年4月2日 ～ 昭和12年4月1日	120／420	377,814 円
昭和12年4月2日 ～ 昭和13年4月1日	132／432	361,669 円
昭和13年4月2日 ～ 昭和14年4月1日	144／444	346,397 円
昭和14年4月2日 ～ 昭和15年4月1日	156／456	331,929 円
昭和15年4月2日 ～ 昭和16年4月1日	168／468	318,203 円
昭和16年4月2日 ～ 昭和17年4月1日	180／480	305,162 円
昭和17年4月2日 ～ 昭和18年4月1日	192／480	284,820 円
昭和18年4月2日 ～ 昭和19年4月1日	204／480	264,477 円
昭和19年4月2日 ～ 昭和20年4月1日	216／480	244,135 円
昭和20年4月2日 ～ 昭和21年4月1日	228／480	223,792 円
昭和21年4月2日 ～ 昭和22年4月1日	240／480	203,450 円
昭和22年4月2日 ～ 昭和23年4月1日	252／480	183,107 円
昭和23年4月2日 ～ 昭和24年4月1日	264／480	162,765 円
昭和24年4月2日 ～ 昭和25年4月1日	276／480	142,422 円
昭和25年4月2日 ～ 昭和26年4月1日	288／480	122,080 円
昭和26年4月2日 ～ 昭和27年4月1日	300／480	101,737 円
昭和27年4月2日 ～ 昭和28年4月1日	312／480	81,395 円
昭和28年4月2日 ～ 昭和29年4月1日	324／480	61,052 円
昭和29年4月2日 ～ 昭和30年4月1日	336／480	40,710 円
昭和30年4月2日 ～ 昭和31年4月1日	348／480	20,367 円
昭和31年4月2日 以後	ー	ー

第5章 遺族年金のしくみ

経過的寡婦加算額がプラスされます。

遺族年金の裁定請求

年金の請求では多くの資料を用意する

ワンストップサービスでどこでも受け付けされる

　遺族年金を受給する場合も、請求手続き（裁定請求）をしなければなりません。
　共済年金が一元化され、短期要件（→169ページ）により請求する遺族厚生年金は、死亡日に加入していた実施機関（→20ページ）が他の実施機関の加入期間分も含めて決定、支給します。

　ワンストップサービスが始まり、共済組合への請求書でも年金事務所で受け付け、回付されるようになりました。逆の場合も受け付けはされます。しかし、本来請求すべきところへ請求するほうがいいでしょう。
　国民年金の寡婦年金や死亡一時金は、住所地の市区町村役場へ請求します。
　また、代理人が請求手続きを行う場合は、委任状が必要です。

遺族年金の請求先

亡くなった人の状況で判断します。

①国民年金の第1号被保険者の期間だけの人	住所地の市区町村役場
②かつて厚生年金の加入期間がある人、国民年金の第3号被保険者の期間がある人、合算対象期間（カラ期間）がある人	住所地の年金事務所
③死亡時に厚生年金に加入中の人	会社の所在地を管轄する年金事務所（離れているときは最寄りの年金事務所でも受付されます）
④年金の受給者だった人	
⑤1か所の共済だけに加入していた人	加入していた共済組合（年金事務所でも受付される）
⑥2か所以上の共済に加入していた人、共済以外の加入期間がある人	

 マイナンバーを記入することにより、生年月日に関する書類の添付が不要になることがあります。また、年1回の現況届や住所変更等の提出が原則

裁定請求手続きの流れ

```
事前に年金事務所に必要書類等を確認します
        ↓              ●主な書類は下に記載
        ↓
裁定請求書類一式を持参します   ●年金手帳や年金証書はコピーをとって保管
                            ●代理人が請求手続きするときは委任状が必要
  約2か月    ↓          ↓
  ↓                    
受給できるとき      受給できないとき
  ↓                    「不支給決定通知書」が郵送される
1〜2か月後
  ↓    「年金証書・年金決定通知書」
        が郵送される
  ↓
年金振込開始   ●年金振込通知書（年金送金通知書）が郵送で届く
              ●初回の年金が振り込まれる
              ●次回からは偶数月に2か月分が振り込まれる
```

第5章 遺族年金のしくみ

■ 遺族年金請求時の主な書類

●年金の請求書は各請求先にあります。

遺族年金裁定請求書	●加入している年金の種類によって用紙が違います 厚生年金に加入⇒年金請求書（国民年金・厚生年金保険遺族給付） 国民年金に加入⇒年金請求書（国民年金遺族基礎年金）
年金手帳または 基礎年金番号通知書	●死亡した人と遺族
戸籍謄本	●死亡した人と遺族（筆頭者・続柄・変更事項のあるもの） ●受給権発生日以降で6か月以内に交付されたもの
住民票（写し）	●世帯全員※ ●受給権発生日以降で6か月以内に交付されたもの
住民票除票	●死亡した人 ●受給権発生日以降で6か月以内に交付されたもの
死亡診断書	●死亡届記載事項証明書でもよい
年金証書	年金を受けていた人が亡くなったとき。請求者が年金を受けているとき
請求者の収入が確認 できる書類	生計維持認定※のため。所得証明書、源泉徴収票など
子の収入が確認できる書類	義務教育終了前は不要。高校生は在学証明書、学生証など※
預金通帳	請求者名義（受取金融機関）

※マイナンバーを記載すれば省略できることがある。

不要になります。

未支給の年金

亡くなる直前の年金を忘れずに請求する

最後の年金はもらい忘れることが多い

年金は、年6回、偶数月（2、4、6、8、10、12月）に前月までの2か月分が支給されます。また、年金は権利が消滅する月まで支給されます。

たとえば、老齢年金を受給していた人が3月に死亡した場合、本来受給する4月には受け取る人がいないため、2、3月分の年金が支給されないままになります（未支給年金という）。

未支給の年金は次の場合に発生します。
①年金を受給中に死亡し、まだ受給していない年金があるとき
②受給権がある人が年金請求をした後に死亡し、まだ年金をもらっていないとき
③受給権がある人が年金請求をしないまま死亡したとき

未支給の年金は、生計を同じくしていた遺族が一時金として受け取ります。

請求をしないともらえない

受給中の人が亡くなって、年金をもらっていない場合でも、放っておいては、遺族に支払われることはありません。年金は請求をしないともらうことができないのです。

請求するときは、「未支給年金・未支払給付金請求書」を死亡した受給権者の住所地の年金事務所へ提出します。

また、障害基礎年金や遺族基礎年金、寡婦年金の未支給年金は、市区町村の国民年金の窓口でも請求できます。ただし、市区町村によっては扱っていない場合もあります。

共済組合に加入していた期間の未支給年金は共済組合に請求しますが、ワンストップサービスにより日本年金機構でも受け付けされます。

もらえる順番が決まっている

請求ができる遺族は、生計を同じくしていた人で、その範囲、順位は決まっています（→次ページ）。請求は、その遺族が自分の名前でします。

未支給年金をもらうことができる遺族の同順位者が2人以上いる場合は、1人の請求は他の同順位者と一緒に全額を請求したものとみなされます。

 年金の受給権者が死亡した場合、生計を同一にしていた遺族がいない場合は、未支給の年金を請求できませんが、年金受給権者死亡届は提出す

死亡したときは死亡届を提出する

年金を受給中の人が亡くなったときは、「年金受給権者死亡届」に年金証書などを添えてすみやかに提出しなければなりません。

日本年金機構でマイナンバーが確認できる場合は、原則としてこの届出は省略することができます。

年金をもらっている人が亡くなったときの届出

●以下の書類を、すみやかに提出します。
　①年金受給権者死亡届
　　年金証書
　　死亡の事実を明らかにできる書類（戸籍抄本、死亡診断書など）
　②未支給年金・未支払給付金請求書（受け取っていない年金があるとき）
　　戸籍謄本
　　生計を同じくしていたことがわかる書類（住民票）
　　別世帯の人が請求するときは生計同一関係に関する申立書

■未支給の年金を請求できる遺族の範囲と順位

●請求できるのは、受給権者が死亡当時、生計を同じくしていた人です。
●以下の順位で請求できます。
　①配偶者
　②子
　③父母
　④孫
　⑤祖父母
　⑥兄弟姉妹
　⑦甥、姪
　⑧子の配偶者
　⑨伯父、伯母、叔父、叔母
　⑩曾孫、曾祖父母
　⑪上記の人の配偶者　など

hint　遺族基礎年金・遺族厚生年金と年金加入

遺族基礎年金・遺族厚生年金を受給している間でも、自営業や無職で60歳未満の人は国民年金に加入しているので（強制加入）、保険料の支払いを続けなければなりません。
障害年金を受給している間は、届出することにより、保険料免除期間になりますが、遺族年金をもらっていても、免除期間とはなりません。
65歳からは自分の老齢基礎年金と遺族厚生年金も併給されるので、保険料はきちんと払いましょう。

る必要があります。

夫が亡くなった後の生活保障

ねんきんコラム

老後の生活費は、夫婦2人のときと、どちらかに先立たれたときの両方を考えておく必要があります。

一般に、女性のほうが長生きです。夫に万が一のことがあれば、どれくらいの年金を受け取ることができるかをシミュレーションし、不足分は生命保険などで補っておくといいでしょう。

必要な資金 ＝ 遺族の生活資金 － 収入見込

遺族の生活資金：
- 生活費
- 住居費
- 教育費
- その他（レジャー費など）

収入見込：
- 年金
- 退職金
- 貯金
- その他

ケース

このうち、生活費を単純に年金で補うとすると、毎月約75,866円不足することになります。

※月額換算。サラリーマン家庭で夫が40歳のとき亡くなった場合。遺族は妻、子2人。給料平均を30万円とした。実際には、加入状況や家族構成などによって異なる。

生活費（318,713円×0.7[※1]）－遺族年金147,233円[※2]＝約75,866円

※1：必要な生活費は少なくなる。
※2：遺族年金＝遺族基礎年金68,000円＋子の加算39,133円＋遺族厚生年金40,100円

毎月の生活費

食費	90,461円
住居	16,592円
光熱・水道	27,616円
家具等	12,119円
被服等	11,434円
保健医療	15,868円
交通・通信	51,214円
教育	12,085円
教養娯楽	32,111円
その他	49,214円
計	318,713円

（総務省2024年「家計調査報告」より　2人以上の世帯）

第6章

離婚時の年金分割

国民年金は分割できない 186
妻の加入期間が増えるわけではない 188
請求するだけで自動的に分割される 190
熟年離婚は65歳までがまんする 194
夫の年金記録を内緒で見ることができる 196

合意分割①

国民年金は分割できない

離婚時の年金分割は2種類ある

熟年夫婦の離婚件数が増加していることに伴い、専業主婦の離婚後の生活を支えるために、離婚時の年金分割の制度ができました。

この制度には、以下の**2種類があり、平成20年4月からは両方の制度が使えます**。
① 「年金を合意により分割する」制度（合意分割）
② 「第3号被保険者期間に関する分割」制度（3号分割）

分割割合は話し合いで決める

離婚時の年金分割は、離婚後、夫の年金の半分を受け取れると誤解している人が多いようです。

しかし、正しくは、年金額そのものを分割するのではなく、**厚生年金（旧共済年金含む）の保険料納付記録（標準報酬の総額）を分割**するというものです。

具体的には、それぞれが加入してきた結婚から離婚までの間の標準報酬の総合計（対象期間標準報酬総額という）を計算して、これを分割します。

離婚分割の対象期間となる、夫が納付してきた報酬の総額と妻が納付してきた報酬の総額を合計し、当事者の合意で、受け取る側の割合（按分割合という。上限は2分の1）を決めるのです。合意がまとまらない場合は家庭裁判所で決定します。

分割できるのは厚生年金（旧共済年金含む）

離婚分割の年金は、厚生年金（旧共済年金含む）のみに影響し、国民年金には影響しません。そのため、**老齢基礎年金や定額部分の年金額は減額**されません。

3階部分としては、旧共済年金の職域部分（平成27年9月30日まで分）が分割の対象になります。

年金を受け取る側（妻）は、夫が掛けてきた厚生年金の一部を自分が掛けてきたものとして上乗せされますが、自分自身が年金を受給する年齢になるまで、分割された老齢厚生年金を受け取ることができません。

すでに老齢年金を受け取っている人は、年金分割の請求をした翌月から年金額が改定されます。

 この章では、妻が夫に年金の分割を請求するケースで解説していますが、夫と妻が逆のケースもあります。

離婚による年金分割は2種類

```
        平成19年4月      平成20年4月                    平成20年4月
           ▼              ▼                          以降は2種類
                                                     の年金分割制
                                                     度です。
◀----------┼──────────────────────────────────▶
①合意分割   上限1／2まで話し合いまたは調停で分割（過去にさかのぼる）
                          ◀──────────────────▶
                          ②3号分割　第3号被保険者は請求で分割
```

第6章　離婚時の年金分割

■平成19年4月からの離婚分割（合意分割）
結婚期間中の保険料納付記録の一部を分割します。

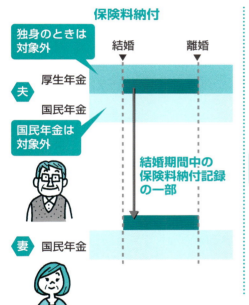

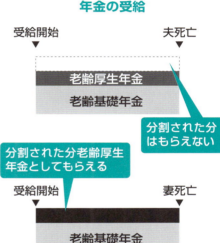

- **●対象となる人**
  - ●夫婦どちらか、または両方が第2号被保険者だった人

- **●対象となる期間**
  - ●離婚までの結婚期間のうち、厚生年金や旧共済年金に加入していた期間

- **●対象となる年金**
  - ●厚生年金（老齢厚生年金・障害厚生年金）の報酬比例部分
  - ●旧共済年金（退職共済年金・障害共済年金）の報酬比例部分、職域加算分
  - ※老齢基礎年金や障害基礎年金、厚生年金の定額部分は対象とならない。
  - ※独身時代の報酬比例部分は含まない。

合意分割②

妻の加入期間が増えるわけではない

受給要件を満たさなければ受給できない

夫が妻に年金分割をした場合、分割するのは厚生年金（旧共済年金含む）の保険料納付記録（標準報酬の総額。ボーナス含む）だけで、**妻の加入期間が増えるわけではありません。**

そのため、老齢基礎年金を受給する要件である「加入期間10年」に満たない妻の場合、夫から年金分割されても加入期間が増えるわけでなく、受給できないことに変わりありません。

この、夫だけが加入していて妻が加入していない期間を「離婚時みなし被保険者期間」といいます。離婚時みなし被保険者期間は、期間を計算する上では、ほとんどの場合、妻の加入期間に加算されません。

ただし、「厚生年金（共済年金）に20年以上加入していないこと」という振替加算の要件である期間を算定するうえでは、加算するので注意が必要です（→98ページ）。**振替加算を受給中の人が年金分割で夫の保険料納付記録をもらった結果、受け取れなくなるケースがあるのです。**

被扶養配偶者と認められた期間だけが分割される

年金制度では、原則として、籍を入れた夫婦でなくても、事実上婚姻関係にあると認められれば、夫婦と同じ権利が与えられます。

しかし、妻がいながら、内縁の妻もいる場合、どちらに分割するかを自由に決められるわけではありません。

内縁の妻の場合は、加入していた期間に被扶養配偶者（扶養されていた配偶者）として、第3号被保険者であることを認められていた期間のみ、「離婚分割」の対象になります。

「ある月」の分を、**妻と内縁の妻の両方に分割することはできません。**

共済の加入記録は厚生年金とまとめて分割される

これまで、厚生年金と共済年金は、それぞれ別々の割合で分割することができました。

しかし、平成27年10月に一元化され、これらは同じ割合で、同時にまとめて分割することになりました。

 複数の実施機関に加入していた場合は、1か所の実施機関に請求すると、すべての標準報酬等を合算して年金分割が行われます。

年金分割の流れ（合意分割）

年金分割のための情報提供を受ける
▼
- 当事者間の合意により「按分割合」を決めます。
- 合意がまとまらないときは、家庭裁判所において決めます。

▼
- 離婚時の年金分割を請求します（1か所で対応できる）。
  厚生年金の場合は、住所地の年金事務所
  旧共済年金の場合は、加入の共済組合

▼
- 自分自身の年金（老齢基礎年金や特別支給の老齢厚生年金）が受給できる年齢になれば、分割された年金を受け取れます。
- すでに年金を受給している人は、分割請求の翌月から受給できます。

■分割請求時の主な書類

①年金手帳または基礎年金番号通知書またはマイナンバーカード等	双方の分
②婚姻関係があったことを明らかにする書類	戸籍謄本または双方の戸籍抄本（6か月以内）内縁関係の場合は、そのことが証明される書類（→156ページ）
③生存を明らかにする書類	双方の戸籍抄本または住民票の写し（1か月以内）（請求書にマイナンバーを記入すれば省略可）
④按分割合を定めた書類	合意の場合……公正証書や私文書 家庭裁判所の場合……調停証書や和解証書など

■事実婚や内縁関係の場合

ケース1　長年別居している夫婦が離婚したケース

- 戸籍上の妻であれば、離婚分割できます。
- 夫に内縁関係の妻があり、内縁関係の妻が第3号被保険者となっている場合は、離婚分割できません。

ケース2　内縁関係から結婚し、離婚したケース

- 内縁関係と婚姻期間の両方について離婚分割できます。
- 内縁関係期間については、第3号被保険者だった期間のみが対象となります。

平成20年4月からの3号分割

請求するだけで自動的に分割される

請求しないともらえない

平成20年4月から実施された3号分割では、**請求さえすれば年金が分割されます**。話し合いや調停の必要なく、自動的に分割されるのが合意分割との違いです。

ただし、請求をしないと分割はされません（時効は2年）。

3号分割で分割されるのは、サラリーマンなどの妻である第3号被保険者の期間だけで、**夫婦とも働いて厚生年金や旧共済年金に加入した期間は対象になりません**（この場合は、合意分割を使えば分割される）。

専業主婦は半分もらえる

3号分割は、夫が負担した保険料は、妻が共同して負担したものと認められるようになったものです。これにより、専業主婦は将来離婚しても、夫が掛けた厚生年金の保険料納付記録（標準報酬。ボーナスも含む）の半分を受け取る権利を得ることになります。

一方、サラリーマンにとっては、離婚によって**元妻が請求すれば、将来受け取る厚生年金（旧共済年金）が自動的に半分に減ってしまう制度**です。

対象期間は平成20年4月以降、離婚するまでの第3号被保険者だった期間です。それ以前の期間については、双方の合意で決めるか、家庭裁判所の決定が必要です。

さまざまなケースが起こる

分割された年金の受給開始後は、**どちらかが死亡しても、年金額は変わりません**。また、分割請求をした後、年金の受給が始まる前に元の夫が死亡しても、元の妻自身の年金額には影響がありません。

さらに、離婚後、再婚した場合は、死亡した場合と同様、どちらの年金額にも影響はありません。ただし、再婚相手に離婚歴があり、離婚時の年金分割がされていた場合には、前妻に分割した分、少なくなっている可能性があります。

合意分割と3号分割、どちらも期限は離婚等から原則2年以内です。ただし、元夫（元妻）が万が一亡くなった場合は、期限は死亡から1か月以内になります。

 障害厚生年金の受給権者で、分割請求の対象となる期間を年金計算の基礎としている場合、3号分割請求はできません。

平成20年4月実施の3号分割

第3号被保険者の期間の保険料納付記録の2分の1を分割します。

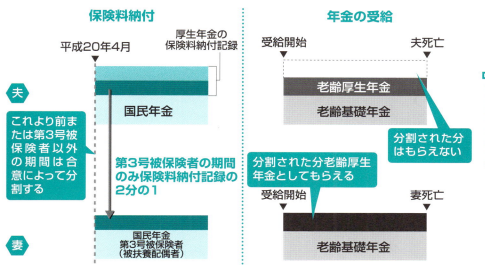

合意分割と3号分割の違い

	合意分割	3号分割
分割割合	合意または裁判により上限2分の1まで	自動的に2分の1（請求は必要）
分割対象期間	平成20年3月以前の分を含む	平成20年4月以降
分割の原因	離婚、婚姻の取消し、内縁関係の消滅	
分割対象	婚姻期間中の厚生年金（旧共済年金記録含む）	平成20年4月以降の国民年金の第3号被保険者だった期間の厚生年金（旧共済年金含む）記録
離婚等	平成19年4月1日以後	平成20年5月1日以後
請求期限	離婚等から原則2年	
その他	合意分割の請求をした期間に3号分割の対象となる期間が含まれるときは、同時に3号分割の請求をしたとみなされる	

第6章　離婚時の年金分割

合意分割と3号分割どちらがよい？

　おおまかにいうと、3号分割のほうが相手の合意はいらないため、手続きはラクです。しかし、平成20年3月以前の加入記録を分割するには、合意分割が必要です。また、平成20年4月以降でも、第3号被保険者以外の期間は合意分割でなければ分割されません。

　合意分割の期間が短い場合は、この期間を捨てて3号分割だけ請求することも考えられるでしょう。

　なお、合意分割の請求をした期間に3号分割の対象となる期間が含まれるときは、同時に3号分割の請求をしたものとみなされます。

START

夫婦のどちらかが厚生年金または旧共済年金に加入していたことがある
- NO ◀◀◀ 分割できません
- ▼ YES

分割してもらうのは平成20年4月以降の加入記録だけでよい
- NO ▶▶▶ 合意分割
- ▼ YES

分割してもらうのは「第3号被保険者」として扶養されていた期間だけでよい
- NO ▶▶▶ 合意分割
- ▼ YES

3号分割

hint　第1号改定者と第2号改定者

合意分割では、年金分割をしたときに、分割する人を第1号改定者、分割を受ける人を第2号改定者といいます。また、3号分割では、分割する人を特定被保険者、分割を受ける人を被扶養配偶者といいます。

MEMO　分割は、離婚のほか、婚姻の取消しをしたとき、特定被保険者が3年以上行方不明のときなどが対象になります。

年金分割に関する合意書（私文書例）

年金分割に関する合意書

甲（第1号改定者）と乙（第2号改定者）は、対象期間（○○年○月○日～△△年△月△日）に係る被保険者期間の標準報酬の改定または決定の請求をすることおよび請求すべき按分割合を0.5とする旨合意をした。

××年×月×日

甲　　氏名　北川　一郎　　　　　　　　印
　　　（昭和34年5月6日生）（基礎年金番号3456-789012）
　　　住所　〒541-0053　大阪市中央区本町○-○

乙　　氏名　北川　花子　　　　　　　　印
　　　（昭和36年12月11日生）（基礎年金番号1234-567890）
　　　住所　〒541-0053　大阪市中央区本町○-○

※氏名、生年月日、住所、基礎年金番号、対象期間、按分割合、双方が年金分割を合意しているということを記載する。
※按分割合の表記について
　按分割合の表記は「％」ではなく「小数」を使う。
　たとえば、当事者間の合意によって按分割合を「50％」としたときには、公正証書や私文書には「0.5」と記載する。

離婚分割と遺族年金との損得

熟年離婚は65歳までがまんする

分割した年金を直接受け取れる

年金分割の制度ができるまでは、離婚時に夫から年金を分けてもらう約束をしていても、支払いが滞ったり、元夫が死亡すると受け取ることができなくなったりというケースが数多くありました。

年金分割の意義は、妻が内助の功で支えた夫の年金を、**妻が自分名義で受け取る**ことにあります。

これにより、直接自分が受け取ることで、**元夫が払ってくれるかどうか心配する必要はなくなり、夫が死んでも受給し続ける**ことができるようになりました。

年金分割は2分の1、遺族厚生年金は4分の3

ここで、年金分割が得かどうかを考えてみましょう（→次ページ）。

ちょっと不謹慎ですが、離婚せずに夫が亡くなったら厚生年金の4分の3を生涯受け取ることができます（→173ページ）。一方、離婚をした場合の年金分割は2分の1が上限です。

さらに、離婚分割の場合は、婚姻期間だけが分割の対象になるので、婚姻期間が短い場合は、分割される年金記録も少なくなります。もちろん、**離婚すると遺族厚生年金はもらえなくなります**。

65歳前に離婚すると振替加算がもらえなくなる

振替加算は、サラリーマンなどで20年以上厚生年金（または共済年金）に夫が加入していた場合に、妻が直接もらえる「年金の家族手当」です（→98ページ）。

振替加算は、妻が65歳になるまでは「加給年金」として夫の年金に加算され、妻が65歳になった時に夫に生計を維持されていたときは、それ以降は妻の年金に加算されます。

妻が65歳になってから離婚すると、妻の振替加算は生涯妻の年金として受け取れますが（要件あり→98ページ）、妻が65歳になる前に離婚すれば、受け取ることはできません。夫の年金に加算されていた分も「扶養家族」がいなくなったことで、加算されなくなります。

この他、離婚するときは、あわてずに按分割合を決めてからのほうがいいかもしれません（→次ページ）。

 もう1つの大きな問題は、老齢年金の受給が原則として65歳から開始されることです。たとえば、55歳で離婚すると、65歳までの10年間、年金は

離婚分割と遺族年金のシミュレーション（月額換算）

ケース1 離婚分割のとき（妻は専業主婦）

最大で1／2を受け取ります。

毎月25,000円の差が生涯続く

ケース2 離婚せずに夫死亡のとき（妻は専業主婦）

夫の厚生年金の3／4が生涯受け取れます。

離婚はタイミングをよく考えて

●離婚後、夫が亡くなると遺族年金はもらえません。
① 離婚後、按分割合が決まってから夫が死亡したときは、**1か月以内に請求すれば分割される**（公正証書などの証明書類が必要）。
② 按分割合が決まっていないうちに夫が亡くなると分割した年金は受け取れない。

受け取れないことになります。それまで、どうやって収入を確保するのかをよく考えておく必要があります。

情報提供の請求・情報通知書

夫の年金記録を内緒で見ることができる

実際の加入状況を把握する

離婚時の年金分割ができるといっても、実際にいくらの年金をもらえるのかがわからなければ、離婚後の生活設計も立てられませんし、按分割合も決めることができません。

あらかじめ加入状況を把握するために、年金分割のための情報の提供を請求することができます。離婚前に情報提供を請求すると、請求した側だけに通知され、離婚後には、相手にも通知されます。

情報提供を請求するには、「年金分割のための情報提供請求書」を提出します。離婚している場合は、離婚日までの情報が、離婚していない場合は、情報提供の請求を受けた日までの情報が「年金分割のための情報通知書」として届きます。

見込額を試算してもらう

情報通知書には、
①分割の対象期間
②対象期間の標準報酬総額
③按分割合の範囲

などが記載されています。

しかし、対象期間の標準報酬総額から、自分が、離婚後にいくらぐらい分割された年金額を受け取れるのかを知ることができません。

離婚後の年金額を知りたいのなら、「年金分割のための情報提供請求書」にある**「年金見込額照会」欄に照会を希望する旨と按分割合を記入**しておきます。そうすると、「情報通知書」から約1か月後に「年金見込額のお知らせ」が届きます。

ただし、「年金見込額のお知らせ」は、**50歳以上の人と障害厚生年金の受給権者だけが対象**とされています。

厚生年金基金は除かれている

年金見込額のお知らせの内容は、
①按分割合50％（上限）の場合
②年金分割を行わない場合
③希望した按分割合の場合
の年金額が記載されています。

厚生年金基金に加入していた期間がある人は、厚生年金基金から支給される年金は除かれているので、その分金額は少なくなっています。

 すでに、老齢年金を受け取っている場合は、標準報酬改定請求があった月の翌月から年金額が改定されます。

情報提供、通知の流れ

STEP 1 情報提供の請求

- 「年金分割のための情報提供請求書」を住所地の年金事務所へ提出します。
  ※共済組合に加入していた人は、その共済組合。年金事務所でも受け付けされる。
- 離婚前、離婚後でも、夫婦2人で、または一方からでも請求できます。

STEP 2 「年金分割のための情報通知書」が届く

- 年金事務所の窓口でもらえます（希望により、郵送も可能）。
- 共済組合に加入していた分も含め、すべての標準報酬月額、標準賞与額が記載されています。

> - 夫婦2人で請求する場合
>   それぞれに提供されます。
> - 夫婦のどちらか一方が請求する場合
>   - 離婚する前の請求……請求した人だけに
>   - 離婚後の請求　　　……請求した人だけでなくもう一方にも情報提供されます。
>
> ※情報は3か月ごとに更新される。

STEP 3 「年金見込額のお知らせ」が届く

- 50歳以上の人と障害厚生年金の受給権者だけが対象です（希望者のみ）。

■情報提供請求時の書類
① (個人番号を記入したとき) マイナンバーカード等
　 (基礎年金番号を記入したとき) 基礎年金番号通知書
　 または年金手帳（コピー可）
② 戸籍謄本または抄本（事実婚や内縁関係の場合は、その関係が証明できる書類）

情報提供は3か月経ってから

前回の情報提供を受けた日から3か月を経過しないと、再度請求することはできません。
ただし、按分割合を決めるために裁判所に対する申立てに必要な書類を用意するときなどは3か月を経過しなくても再度、請求をすることができます。

公的年金は改正が多い

ねんきんコラム

　昭和36年に国民年金法が施行され、すべての国民が公的年金の対象になっているという「国民皆年金制度」が実現されました。

　その25年後の昭和61年には、現在の年金制度の基礎となる大改正が行われました。このとき、公的年金の土台となる基礎年金（国民年金）が導入され、全国民共通の基礎年金（国民年金）が支給されることになりました。

　また、この大改正で日本国内に住んでいる20歳以上60歳未満の人は、全員国民年金に加入することが義務づけられ（強制加入）、それまで加入してもしなくてもよかった（任意加入）サラリーマンや公務員の妻（専業主婦）も国民年金に加入することになりました。

　昭和61年改正前を旧制度の年金、改正後の年金を新制度の年金といいます。

　その後、何度か改正が行われ、平成12年以降は毎年何らかの新しい制度が作られたり、今までの制度がなくなったりという多くの変更点が生じています。

　また、私たちがもらう年金の額は5年ごとに見直しが行われています。

第7章

障害年金のしくみ

滞納しているともらえない 200
障害基礎年金は1級で約100万円 202
20歳前の病気やケガでも受け取れる 206
任意加入しなかった人に救済措置がある 208
厚生年金加入者はダブルでもらえる 210
25年加入の最低保障がある 212
3級より軽い障害も対象になる 214
さまざまなパターンで受給できる 216
障害が重くなったら改定を請求する 218
飲酒運転の事故ではもらえない 220
不服があれば審査請求をする 222
2種類の年金を同時に受給することはできない 224
最も高い金額が支給される 226
他の年金との調整は制度によりさまざま 228
労災保険と両方もらえる 230

障害基礎年金（国民年金）の受給要件

滞納していると もらえない

誰でも受給できるわけではない

障害年金には、障害基礎年金、障害厚生年金があります。

障害年金は、年金に加入中に、また、加入していた人が、病気やケガが原因で、障害の状態になったときに受け取ることができる年金です。

障害基礎年金を受け取るには、次の3つの要件をすべて満たす必要があります。

①**初診日における要件**（→次ページ）

初診日において、次のいずれかに該当する必要があります。
- ●国民年金または厚生年金の被保険者であること
- ●国民年金または厚生年金の被保険者であった人で、日本国内に住所を有する60歳以上65歳未満であること

②**障害認定日における要件**（→次ページ）

「障害認定日」とは、初診日から1年6か月を経過した日または、初診日から1年6か月までの間に、病気やケガが治った場合は治った日のことをいいます。

ここでいう**「治った」とは、症状が固定し、治療の効果が期待できなくなった**ことをいいます（治ゆ）。たとえば、指を切断したとき、指が再生しなくても、傷口の治療が完了した状態をいいます。

障害認定日に障害の状態になくても、その後該当すれば、そのときから受給できる制度もあります（→216ページ）。

③**保険料納付要件**（→次ページ）

初診日の前日時点で、前々月までの加入期間の3分の2以上保険料を納めている（免除含む）か、前々月までの直近1年間に未納がないことが要件となります。保険料を納めずに放置していると、この要件を満たせなくなり、障害を負っても年金をもらえません。

65歳以降の病気やケガは対象外

このように、障害基礎年金には、老齢基礎年金と違い、受給資格期間（加入期間）の要件がありません。**保険料を滞納せずに納めていれば、加入期間の長さにかかわらず、受給できます。**

ただし、すでに老齢基礎年金を受け取っている場合や65歳を過ぎてから初診日がある場合には、原則として障害基礎年金を請求することはできません。

200　　初診日が20歳前の場合は、保険料納付要件はありません（→206ページ）。

障害基礎年金の種類

障害基礎年金	原則どおりの要件を満たしたとき
20歳前の障害基礎年金（→206ページ）	20歳前に初診日がある病気やケガによるとき
特別障害給付金（→208ページ）	任意加入しなかったときに初診日がある病気やケガによるとき
事後重症（→216ページ）	初診日から1年6か月より後に障害等級に該当したとき
基準障害（→216ページ）	単独では障害等級に該当しないが、2つあわせると該当するとき
併合（→216ページ）	単独でも障害等級に該当するが、2つをあわせて認定する
その他障害（→218ページ）	障害等級1級または2級を受給中の人が、さらに1級または2級に該当しない軽い障害によって障害の程度が悪化したとき（額の改定）

第7章　障害年金のしくみ

■受給要件

要件1　初診日における要件

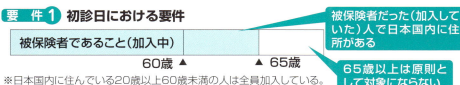

※日本国内に住んでいる20歳以上60歳未満の人は全員加入している。また、20歳前でも受け取れる制度がある（→206ページ）。
※65歳以上で老齢年金を受け取る権利がない厚生年金・共済年金加入者は対象になる。

要件2　障害認定日における要件

●障害認定日に障害等級の1級または2級の状態であること。

※1年6か月を経過した日に障害の状態になくても、その後障害の状態になったときは、障害基礎年金が受け取れる（→216ページ）。

要件3　保険料納付要件

●①または②のいずれかを満たすこと。
●初診日の前日で判断する。

※②は、初診日が2026年3月31日までの特例。初診日に65歳未満の人のみ。

障害基礎年金（国民年金）の年金額

障害基礎年金は1級で約100万円

うつ病やペースメーカーでも受け取れる

障害基礎年金は、前ページの要件を満たしている人が、障害等級の1級または2級に該当するときに受け取れます。

また、障害認定日に1級または2級の状態でなくても、65歳に達する前日までに1級または2級の障害の状態になり、請求をしたときにも受け取れます。

障害基礎年金の1級は、日常生活を自分ですることができず、常時介護を必要とする状態をいいます。また、2級は、日常生活が困難で、場合によって介護を必要とする状態をいいます。

障害年金を受給する場合の障害の程度を定めた「障害等級表」があり（→204ページ）、ペースメーカーや人工関節なども状態によっては該当することがあります。身体の障害だけでなく、うつ病などの精神疾患、糖尿病、がんなどでも対象になることがあります。

上記のような日常生活に支障がある状況であれば、該当しないか確かめてみるといいでしょう。請求から5年前までしかさかのぼれません。

この障害等級は、身体障害者手帳や精神障害者保健福祉手帳の等級とは異なっています。障害者手帳があるからといって、必ずしも障害年金が受け取れるとは限りません。

1級の年金額は2級の1.25倍

2級の年金額は老齢基礎年金の満額と同じ額、1級は2級の1.25倍の額です。

また、障害基礎年金には、子の加算額があります。障害基礎年金をもらう権利を得たときに、受給権者によって生計を維持している次の子がいる場合に加算されます。

①18歳未満の子（18歳に達する日以降最初の3月31日までの間にある子）
②障害等級が1級、2級の状態にある20歳未満の子

受給権を得た後に要件を満たす子が生まれた場合でも、届け出ることにより、加算されます。

同じ子について、配偶者に支払われる児童扶養手当と子の加算と両方を受け取ることはできず、原則として高いほうを受け取ることになっています。

 子の加算は、次の場合に終了します。①死亡したとき、②受給権者による生計維持の状態でなくなったとき、③結婚をしたとき、④高校を卒業した

障害基礎年金はいくらもらえるの？

障害基礎年金額＝年金の額＋子の加算額

■年金の額（年額）

障害等級		1級	2級
年金額		1,020,000円（1,017,125円）	816,000円（813,700円）
子の加算	子2人目まで	1人につき234,800円	
	子3人目以降	1人につき78,300円	

※カッコ内は昭和31年4月1日以前生まれの方。

●子の生計維持の基準
受給権者が障害基礎年金を受け取る権利を得た当時、または、その後に結婚または出生等により、生計を同じくする子です。年収850万円未満の子であることが条件です。

要件にあてはまらなくても受給できるケースもある

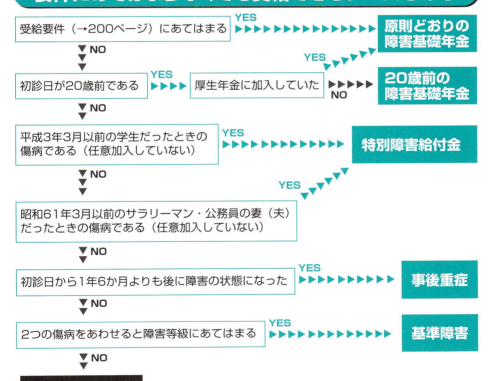

とき、⑤障害の状態にある子が20歳になったとき、⑥受給権者の配偶者以外の養子となったときなど。

障害等級表（概要）

■障害等級1級

番号	障害の状態
1	両眼の視力がそれぞれ0.03以下の人
2	両耳の聴力レベルが100デシベル以上の人
3	両腕の機能に著しい障害がある人
4	両手のすべての指を失った人
5	両手のすべての指の機能に著しい障害がある人
6	両足の機能に著しい障害がある人
7	両足首から先を失った人
8	胴の部分の機能に座っていることができない程度、または、立ち上がることができない程度の障害がある人
9	上記のほか、身体の機能の障害または長期にわたる安静を必要とする病状が、上記と同程度以上と認められる状態であって、日常生活が1人でできない程度の人
10	精神の障害であって、上記と同程度以上と認められる程度の人
11	身体の機能または病状や精神の障害が重複する場合であって、その状態が上記と同程度以上と認められる程度の人

■障害等級2級

番号	障害の状態
1	両眼の視力がそれぞれ0.07以下の人
2	両耳の聴力レベルが90デシベル以上の人
3	平衡感覚機能に著しい障害がある人
4	そしゃくの機能を失った人
5	音声または言語機能に著しい障害がある人
6	両手の親指および人差指または中指を欠く人
7	両手の親指および人差指または中指の機能に著しい障害がある人
8	片腕の機能に著しい障害がある人
9	片手のすべての指を欠く人
10	片手のすべての指の機能に著しい障害がある人
11	両足のすべての指を欠く人
12	片足の機能に著しい障害がある人
13	片足の足首から先を失った人
14	体幹の機能に歩くことができない程度の障害がある人
15	上記のほか、身体の機能の障害または長期にわたる安静を必要とする病状が上記と同程度以上と認められる状態であって、日常生活が著しい制限を受ける程度の人
16	精神の障害であって、上記と同程度以上と認められる程度の人
17	身体の機能障害または病状や精神の障害が重複する場合であって、その状態が上記と同程度以上と認められる程度の人

WORD デシベル■「デシベル」は聴力レベル（聞こえの程度）を表す単位であり、健常者が聞こえる最小の音の大きさを「0デシベル」としています。90デ

障害等級表（概要）

■障害等級3級

番号	障害の状態
1	両眼の視力がそれぞれ0.1以下に減じた人
2	両耳の聴力が、40cm以上では通常の話し声を聞くことができない程度の人
3	そしゃくまたは言語の機能に相当程度の障害がある人
4	背骨の機能に著しい障害がある人
5	片腕の3大関節（肩、肘、手の関節）のうち、2関節が動かない人
6	片足の3大関節（股関節、ひざ関節、足関節）のうち、2関節が動かない人
7	長管状骨の運動機能に著しい障害がある
8	片手の親指と人差指を失った人、または、親指または人差指を含めて片手の指を3本以上失った人
9	親指と人差指を含めて片手の4本の指に著しい運動障害がある人
10	片足の指の根元の関節から先を失った人
11	両足の10本の指に著しい運動障害がある人
12	上記のほか、身体の機能に、労働に際して著しい制限を必要とする程度の障害がある人
13	精神または神経系統に、労働に際して著しい制限を必要とする程度の障害がある人
14	傷病が治らないで、身体の機能または精神・神経系統に、労働するに際して制限を受ける程度の障害がある人で、厚生労働大臣が定める人

■障害手当金

番号	障害の状態
1	両眼の視力がそれぞれ0.6以下に減じた人
2	1眼の視力（矯正視力）が0.1以下に減じた人
3	両眼のまぶたに著しい欠損がある人
4	両眼による視野が2分の1以上なくなった人等
5	両眼の調節機能及び輻輳（ふくそう）機能に著しい欠損がある人
6	1耳の聴力が、耳に接しなければ話を理解することができない程度の人
7	そしゃくまたは言語の機能に障害がある人
8	鼻を欠損し、その機能に著しい障害がある人
9	背骨の機能に障害がある人
10	片腕の3大関節（肩、肘、手関節）のうち、1関節に著しい機能障害がある人
11	片足の3大関節（股関節、ひざ関節、足関節）のうち、1関節に著しい機能障害がある人
12	片足を3cm以上短縮した人
13	長管状骨に著しい変形がある人
14	片手の2本以上の指を失った人
15	片手の人差指を失った人
16	片手の3本以上の機能を失った人
17	人差指を含め片手の2本の指の機能を失った人
18	片手の親指の機能を失った人
19	片足の第1趾（親指）または他の4本以上の指を失った人
20	片足5本の指の機能を失った人
21	上記のほか、身体の機能に、労働に際して制限を必要とする程度の障害がある人
22	精神または神経系統に、労働に際して制限を必要とする程度の障害がある人

（厚生労働省の資料をもとに加工）

※障害基礎年金、障害厚生年金、障害共済年金のすべてに共通。一般の身体障害者手帳などの等級とは異なる。

第7章　障害年金のしくみ

シベル以上とは、クラクションのような大きな音なら感じるという状態です。

20歳前の障害基礎年金（国民年金）

20歳前の病気やケガでも受け取れる

保険料の納付要件はない

20歳前の病気やケガが原因で、1級または2級の障害状態になったとき、一定の条件を満たしていれば、20歳前の障害基礎年金を受け取ることができます。

障害基礎年金の受給要件として、「初診日に被保険者であること、または被保険者だったこと」がありますが、例外的に、国民年金に加入する前である20歳前に初診日があれば、障害等級に応じた障害基礎年金を受け取ることができるのです。

なお、**厚生年金に加入中の人は、20歳前でも加入するので、原則どおりの障害基礎年金を受け取ります**。

収入が多いともらえない

20歳前なので、国民年金にまだ加入していないことから、保険料納付要件はありません。その代わり、本人の所得制限があります。

所得制限には、本人の所得によって、年金額の全部が支給停止される場合と2分の1が支給停止される場合の2通りがあります。

支給停止は、前年の所得額が次の額を超えるときに、その年の10月〜翌年の9月までの間行われます。

① **全額が支給停止**
- 扶養家族0人…4,721,000円の所得額
- 扶養家族1人…5,101,000円の所得額
- 扶養家族2人…5,481,000円の所得額

② **2分の1が支給停止**
- 扶養家族0人…3,704,000円の所得額
- 扶養家族1人…4,084,000円の所得額
- 扶養家族2人…4,464,000円の所得額

加入と免除の手続きはしなければならない

20歳から障害基礎年金を受け取り始める場合でも、国民年金には加入しなければなりません。

障害基礎年金を受給できる人は、**法定免除の要件に該当するため、保険料は全額免除されます**（→40ページ）。

ただし、法定免除でも、届出はしなければなりません。この場合は、住所地の市区町村の国民年金担当窓口で、国民年金の加入と法定免除の手続きを行います。

20歳前の障害基礎年金は、本人の所得制限によるほか、次に該当するときも支給停止されます。①労災や恩給法による年金をもらっているとき、②

いつから受け取り始めるの?

● 初診日が20歳未満のとき(20歳以上は本来の障害基礎年金→201ページ)

ケース1 障害認定日以降に20歳に達したとき
（20歳に達した日に障害等級に該当している）

➡ 20歳に達した翌月から受給できます。

ケース2 障害認定日が20歳に達した日より後のとき
（障害認定日に障害等級に該当している）

➡ 障害認定日の翌月から受給できます。

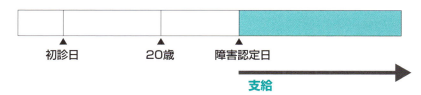

ケース3 20歳に達したときや障害認定日に障害等級に該当していないとき

➡ 65歳に達する前日までに障害等級に該当したとき、
請求した日（65歳になるまで）の翌月から受給できます。

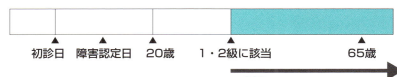

※20歳前の障害基礎年金も請求をしないと受給することができない。

監獄・労役場、少年院、その他これらに準ずる施設にいるとき、③日本国内に住所がないとき。

特別障害給付金（国民年金）

任意加入しなかった人に救済措置がある

サラリーマンの妻や学生が対象になる

昭和61年4月から、日本国内に住んでいる20歳以上60歳未満の人は、すべて国民年金に強制加入になりました。

それ以前は、加入してもしなくてもどちらでもよい任意加入という制度がありました。

そのため、サラリーマンや公務員の配偶者、学生の中には、任意加入していない人がたくさんいました。

200ページで説明したとおり、障害基礎年金を受給するには、「初診日において被保険者であること」という要件があります。

国民年金に任意加入ができる期間に加入しなかったことにより、障害基礎年金を受け取ることができない障害者の救済措置として、平成17年4月から、特別障害給付金が支給されることになりました（→次ページ）。

ただし、すでに障害基礎年金を受け取っている人は、両方もらえるわけではなく、特別障害給付金の支給対象者とはなりません。

請求をしないともらえない

特別障害給付金も請求しないともらえません。この制度は、**請求の翌月から支給されるもので、過去の分は支給されません**。そのため、**請求が遅れた分は、支給されず**、もらい損ねてしまいます。要件に該当する人は、できるだけ早く請求しましょう。

請求は、65歳に達する前日までにしないといけません。

また、この制度を受給する権利がある人は、国民年金の保険料の免除も申請できるので（申請免除→40ページ）、忘れずに申請しましょう。

特例には所得制限がある

特別障害給付金の額は、障害基礎年金とは異なります（→次ページ）。障害等級に応じて決まっており、1級は2級の1.25倍の額です。

また、所得制限もあり、所得制限額や支給停止額は20歳前の障害基礎年金と同じです（→次ページ）。

 特別障害給付金を受給できる人を特定障害者といいます。また、この制度は国民年金法ではなく、「特定障害者に対する特別障害給付金の支給に関

特別障害給付金の年金額

障害等級	1級	2級
年金額	664,200円	531,360円
月額	55,350円	44,280円

※子の加算はない。

特別障害給付金の概要

対象になる人	次のいずれにも該当するとき ①初診日が任意加入できた期間内にある ②現在、障害基礎年金1級または2級の障害の状態にある ③昭和61年3月以前のサラリーマンや公務員等の配偶者または平成3年3月以前の学生
請求できる期間	●65歳の前日まで
支給される期間	●請求をした翌月から ●過去の分は支給されない
所得制限	①全額が支給停止 　扶養家族0人のとき4,721,000円の所得額 　扶養家族1人のとき5,101,000円の所得額 　扶養家族2人のとき5,481,000円の所得額 ②2分の1が支給停止 　扶養家族0人のとき3,704,000円の所得額 　扶養家族1人のとき4,084,000円の所得額 　扶養家族2人のとき4,464,000円の所得額

昭和61年3月以前のサラリーマン・公務員の配偶者や平成3年3月以前の学生だった人で障害基礎年金を受け取ることができない人を救済する制度です。

する法律」によります。

障害厚生年金（厚生年金）

厚生年金加入者はダブルでもらえる

初診日に加入中であることが必須条件

厚生年金に加入している人は、原則として国民年金に加入しています。そのため、**障害厚生年金1級または2級を受給できる人は、障害基礎年金と両方を受け取る**ことができます（→次ページ）。

障害厚生年金は、初診日に厚生年金に加入していたときの病気やケガがもとで、その後障害等級に該当するときに、障害の程度に応じて支給されます。

①初診日の要件

被保険者（厚生年金に加入中）だったこと

年金の請求では、初診日を医師に証明してもらう必要があります。厚生年金に加入中に傷病が始まったのに、病院に行かないうちに退職し、障害厚生年金を受給できないということもありえます。在職中に受診しておくほうがいいでしょう。

②障害認定日の要件

初診日から1年6か月後、またはそれまでに治ったとき障害の状態にあること。障害認定日に該当しなくても、65歳になる前日までに該当し、65歳になる前日までに請求すればもらえる制度もあります（事後重症→216ページ）。

③保険料納付要件

障害基礎年金と同じです（→200ページ）。厚生年金加入中は、原則として保険料を納付していると考えてよいでしょう。

ただし、国民年金に加入していたときに滞納の期間が長ければ、要件を満たしていないことも考えられます。

障害厚生年金は1〜3級まである

障害厚生年金の障害等級には、1級から3級まであります。また、さらに3級より軽い障害でももらえます（障害手当金→214ページ）。**3級や障害手当金は障害基礎年金にはない制度で、厚生年金に加入中の人に手厚く**なっています。

障害の程度によって判定する等級表は、国民年金と共通のものです（→204ページ）。一般の身体障害者手帳などの等級とは異なります。

1級、2級は「日常生活における状態」で程度を定められていますが、3級や障害手当金は、「労働ができる程度」によって定められています。

 保険料納付要件は、共済年金にはなかった要件ですが、一元化により加わりました。平成26年4月1日以降の初診日に適用されます。

障害厚生年金のしくみ

重い ← 障害の程度 → 軽い

厚生年金	障害厚生年金 1級	障害厚生年金 2級	障害厚生年金 3級	障害手当金
国民年金	障害基礎年金 1級	障害基礎年金 2級		

第7章 障害年金のしくみ

■さまざまな障害厚生年金

障害厚生年金（→前ページ）	原則どおりの要件を満たしたとき
障害手当金（→214ページ）	3級よりも軽い、一定の障害の状態に該当したとき
事後重症（→216ページ）	初診日から1年6か月より後に障害等級に該当したとき
基準障害（→216ページ）	単独では障害等級に該当しないが、2つあわせると1級または2級に該当するとき
併合（→216ページ）	単独でも障害等級1級または2級に該当するが、2つをあわせて認定する
その他障害（→218ページ）	障害等級1級または2級を受給中の人が、さらに1級または2級に該当しない軽い障害によって障害の程度が悪化したとき（額の改定）

■初診日に加入中でなければ受け取れない

ケース1 サラリーマンの時に初診日があり、体調が悪くなったため、会社を辞めて、国民年金に加入。

ケース2 自営業の時に初診日があり、重いものが持てなくなったため、事務職で会社に勤めて、厚生年金に加入。

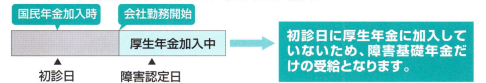

障害厚生年金の年金額

25年加入の最低保障がある

支給額は加入期間と給与の額に比例する

障害厚生年金の年金額も障害等級に応じて決まりますが、障害基礎年金のように定額ではありません。

2級の障害厚生年金の計算方法は、老齢厚生年金と同じです。1級はその1.25倍です。

3級も2級と同額ですが、最低保障額が設定されていて、計算された年金額が最低保障額に満たないときは、最低保障額の年金を受け取ることになります。

3級は障害基礎年金を受給することができません。そのため、3級だけに最低保障額が設定されているのです。

障害厚生年金も、老齢厚生年金と同じように、加入期間が長ければ長いほど年金額が多くなります。また、サラリーマン時代の給料やボーナスの額が高いほど年金額も多くなります。

ただし、**年金に反映される加入期間は、障害認定日までの期間とし、それ以降は加入しても年金額は増えません。**

また、遺族厚生年金と同じように、25年（300月）の最低保障があります。

そのため、会社に就職してすぐに事故にあって、障害を負ったときでも、**25年加入したものとして計算されます。**

配偶者の加算がある

1級、2級の障害厚生年金には、配偶者加給年金が加算されます。

障害厚生年金を受け取る権利を得たとき、またはその後結婚して**受給権者によって生計を維持している65歳未満の配偶者**がいる場合に加算されます。受け取る権利を得た後で結婚した場合は、届出が必要です。

配偶者加給年金は定額で、老齢厚生年金のような特別加算はありません。また、3級には配偶者加給年金はつきません。

配偶者加給年金を受給する要件や、支給が停止される要件は、老齢厚生年金と同じです（→94ページ、96ページ）。

配偶者が次のときにはもらえなくなります。
①65歳になったとき
②死亡したとき
③離婚したとき
④生計を維持しなくなったとき

 障害年金は、障害等級に該当している間は、収入があっても受け取ることができます。ただし、20歳前の障害基礎年金と特別障害給付金だけは、一

障害厚生年金の額（年）

障害等級	年金額	配偶者加給年金
1級	老齢厚生年金×1.25	234,800円
2級	老齢厚生年金と同じ	234,800円
3級	老齢厚生年金と同じ 最低保障額612,000円 （昭和31年4月1日以前生まれの方は610,300円）	―

- 老齢厚生年金の計算式は、報酬比例部分と同じです（→88ページ）。
- 障害認定日後の加入期間は計算の対象になりません。
- 子の加算はありません（対象となる子がいるときは、障害基礎年金に加算される）。
- 300月に満たない場合は300月として計算します。
- 働いて厚生年金に加入しても、支給停止されません。
- 生年月日による乗率の違いはなく（→89ページ）、
  (1)平成15年3月まで7.125／1,000、平成15年4月以降5.481／1,000、または、
  (2)平成15年3月まで7.5／1,000、平成15年4月以降5.769／1,000 です。

> **hint 共済組合加入分も計算される**
> 共済組合にも厚生年金にも加入したことがある人の障害厚生年金は、平成27年10月の一元化の後、初診日に加入していた実施機関（共済組合、日本年金機構）から、過去の分も計算して支給されます。
> たとえば、公務員として働いたことがあり、初診日には一般企業で働いていた人の障害厚生年金は、日本年金機構から共済組合加入分も計算し、支払われます。

障害等級1級・2級で両方もらうとき

●障害等級1級

障害厚生年金 報酬比例部分の年金額×1.25	＋	配偶者加給年金額 234,800円
障害基礎年金 1,020,000円 （1,017,125円※）	＋	子の加算額 1人につき 234,800円 3人目からは1人につき 78,300円

●障害等級2級

障害厚生年金 報酬比例部分の年金額	＋	配偶者加給年金額 234,800円
障害基礎年金 816,000円 （813,700円※）	＋	子の加算額 1人につき 234,800円 3人目からは1人につき 78,300円

※カッコ内は昭和31年4月1日以前生まれの方。

定の収入以下でないともらえません。

障害手当金（厚生年金）

3級より軽い障害も対象になる

1回だけで終了する

厚生年金には、「障害手当金」という制度があります。障害等級1級〜3級には該当するほどでなくても、一定の障害の状態に該当する場合に、一時金として受け取れるものです。

障害手当金は、病気やケガにより、**初診日より5年以内にその病気やケガが治っていて、障害の程度が「障害手当金」の「障害等級表」に該当している場合に支給されます**（障害等級表→204ページ）。

治っているという状態は、症状が固定していて、治療の効果が期待できない状態をいいます（治ゆ）。

その他の要件は、障害厚生年金（→210ページ）と同じです。厚生年金に加入中に初診日がある病気やケガが原因でなければなりません。また、国民年金の滞納期間が長い場合は受給できないことがあります。

障害手当金の額は、**3級の障害厚生年金の金額の2年分**です。障害厚生年金と同じように、25年（300月）に満たなくても25年加入したものとして計算されます。また、最低保障額（→次ページ）が設定されています。配偶者加給年金はありません。

なお、「年金」は毎年受け取りますが、「一時金」は1回だけの受給で終わりです。

他の年金を受給できる人はもらえない

病気やケガが治った日において、厚生年金・国民年金・旧共済年金のいずれかから年金を受給できるときは、障害手当金は支給されません。これは、障害年金に限らず、老齢年金や遺族年金を受給できるときも同じです。

また、実際にもらっていなくても、受け取る権利があるというだけで、支給されません。

ただし、**障害等級1級〜3級に該当しなくなってから3年以上経っている場合は例外があります**。このときは、以前とは別の病気やケガが原因で、再度、障害手当金の受給要件を満たしたときには支給されます。

また、同じ病気やケガが原因で、労災保険から障害補償給付や障害給付を受けられる場合も支給されません。

214 「治ゆした日」というのは、医師によって判断が異なることも多く、現実には認定が難しい部分です。

障害手当金の額

老齢厚生年金 × 2年分

- 老齢厚生年金の計算式は報酬比例部分と同じです（→88ページ）。
- 300月に満たない場合は300月で計算します。
- 最低保障額は1,224,000円（昭和31年4月1日以前生まれの方は1,220,600円）です。
- 共済組合に加入したことがある人は、その加入期間分も含めて計算、支払われます。

障害手当金の受給要件

要件1 初診日における条件

被保険者であること（加入中）

要件2 保険料納付要件

- ①または②のいずれかを満たすこと
- 初診日の前日で判断する

※②は、初診日が2026年3月31日までの特例。初診日に65歳未満の人のみ。

要件3 初診日から5年までに病気やケガが治ったこと

※「治った」とは、病状が固定し、治療の効果が期待できなくなったこと。
　たとえば、指を切断したとき、指が再生しなくても傷口の治療が完了した状態。

要件4 障害等級表の障害手当金に該当すること

障害年金の事後重症・基準障害・併合

さまざまなパターンで受給できる

1年6か月より後に障害等級に該当するのが事後重症

障害年金を受給するための原則は200ページのとおりです。しかし現実には、この原則にあてはまらないこともあり、それでも障害年金が受給できるケースがあります。

ここでは、原則どおりではないパターンを3つ説明します。このパターンは障害基礎年金、障害厚生年金、障害共済年金（厚生年金に統合）に共通です。

障害年金は原則として初診日から1年6か月後に障害の状態にあるかどうかを認定し、このとき一定の障害の状態になければ受給できません（→200ページ）。

しかし、**その後病気やケガが悪化し、障害等級に該当する場合**もあります。このことを「事後重症」と呼んで、本来の障害年金とは区別しています。

これは、65歳になるまでに障害等級に該当するようになったとき、65歳の誕生日の前々日までに障害年金を請求することができるという制度です。支給が決定されれば、請求月の翌月から障害年金を受け取ることができます。

2つの傷病をあわせて障害等級に該当するのが基準障害

単独の病気やケガでは障害等級に該当しなくても、**2つをあわせて1級または2級に該当するとき**は、障害年金を受け取ることができます。この障害を「基準障害」と呼びます。

ただし、65歳の前日までに障害等級に該当しなければなりません。また、2つの病気やケガのうち、後のものを「基準傷病」と呼び、3つの要件のうち、**初診日の要件と保険料納付要件（→200ページ）は基準傷病で判断**します。

この場合の請求は、65歳以後でもできます。

別々の障害はあわせて1つで判断する（併合）

障害年金を受給している人が、別の病気やケガにより、障害等級に該当しても2つの障害年金を受け取ることはできません。

このときは、2つの障害年金の障害の程度を**あわせて（併合という）新たな障害等級**の障害年金を受給します。

 一元化前に共済組合から障害共済年金の受給権を有していた人には、同じ傷病による事後重症による障害厚生年金は、支給されません。

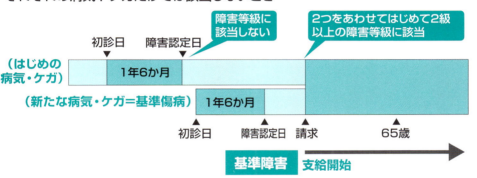

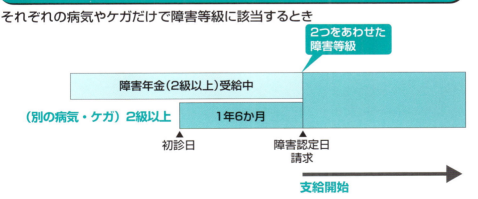

※従前の障害年金の受給権は消滅する。ただし、併合後のほうが低額な場合は、従前の額となる。

障害年金額の改定・その他障害

障害が重くなったら改定を請求する

障害の程度が変われば年金額は改定される

障害の程度が重くなり、2級から1級に該当したときや、障害の程度が軽くなり、障害等級も変更になった場合は、変更後の障害等級の年金額に改定されます（→次ページ）。

請求するケースと診査によるケースがある

次の場合には、年金額が改定されることになっています。

①本人の請求により

障害年金を受給している人は、障害の状態が悪化したとき、厚生労働大臣に自分で年金額の改定を請求します。自分で請求できるのは悪化したときだけです。

これまで障害年金を受給する権利を得た日、または厚生労働大臣の診査を受けた日から**1年経過した日より後でないと請求することはできませんでした**。

平成26年4月からは、法改正により、明らかに障害の程度が重くなったときは、1年を待たずに改定されることになりました。

②厚生労働大臣の診査により

障害年金を受給している人は、毎年誕生月に、現況届という今の障害の状態を報告する書類を年金事務所に提出します。その際、診断書や現在の障害の状態に応じた書類も提出します。その書類により、厚生労働大臣が診査をし、障害等級に変更があると認めたとき、年金額が改定されます。

後の軽い障害を「その他障害」と呼ぶ

1級・2級の障害基礎年金・障害厚生年金を受給している人に、さらに障害（障害等級1級・2級に該当しない程度の軽い障害）が起こり、前後の障害を**あわせた障害の程度が、現在の程度より悪化したとき**、額の改定を請求できます。

これは、65歳になる前日までに症状が悪化したときに、65歳になる前日までに額の改定を請求できるものです。

後に発生した、2級以上に該当しない障害を「その他障害」と呼んでいます。初診日の要件、保険料納付要件（→200ページ）は、「その他障害」についても満たしていなければなりません。

現況届の提出の際、医師の診断書の提出が必要な人は診断書も一緒に提出します。年金裁定通知書に、次回の診断書の提出年月が記されているので、

障害の程度の変更によって年金額が改定されるケース

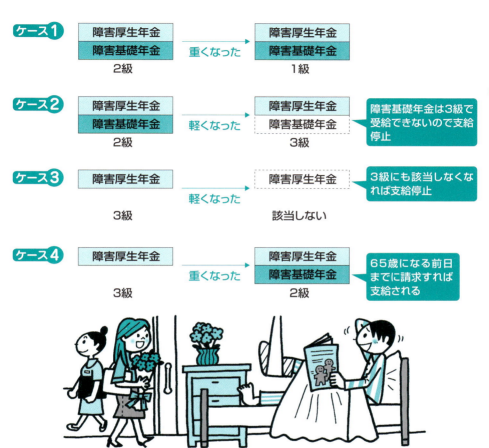

重い障害＋軽い障害で悪化すれば改定される（その他障害）

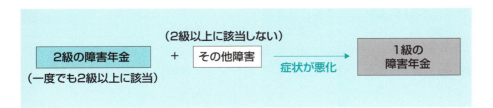

確認しておきましょう。また20歳前の障害基礎年金をもらっている人の障害状態確認届は、誕生月の月末までに提出します。

障害年金の失権・支給停止・給付制限

飲酒運転の事故ではもらえない

障害年金をもらう権利を失うとき（失権）

次の場合には、障害年金を受け取る権利を失います（失権）。
①死亡したとき
②前後の障害を併合した障害の程度による障害年金（併合）を受け取る権利を得たとき、前の障害年金の受給権はなくなる（→216ページ）。
③障害等級に該当する障害の状態にない人が**65歳に達したとき**（65歳に達した日において、その障害等級に該当しなくなった日から障害等級に該当することなく3年を経過していないときを除く→次ページ）。
④障害等級に該当する程度の障害の状態に該当しなくなった日から、そのまま**該当することなく3年を経過したとき**（3年を経過した日において、その受給権者が65歳未満であるときを除く→次ページ）。
65歳になると、自分の老齢年金を受け取ることができるようになります。
なお、障害厚生年金をもらっている人は、会社を辞めて厚生年金に加入しなくなっても、受給できなくなるわけではありません。

支給停止は再度の受給もあり得る

障害が軽くなり、障害等級にあてはまる程度の障害でなくなれば、障害年金の支給は停止されます。
「支給停止」は、その事由がなくなれば、再び受給することができます。
そのため、3級に該当しなくなったためにもらえなくなった障害厚生年金は、再び3級以上に該当すれば、受給が再開します。

自分の犯罪行為ではもらえない

自分で故意に起こした事故で障害を負っても、障害年金は支給されません。単なる自動車事故は故意や重大な過失ではないため、影響はありませんが、飲酒運転の事故などでは、全部または一部が支給されないこともあります。
この他にも、療養の指示に従わなかった場合などでは等級が下がることもあります（→次ページ）。

 平成6年に法律が改正される前は、障害等級3級に該当しなくなって3年を経過すると、65歳になる前でも権利がなくなりました。救済措置として、

障害年金を受け取る権利を失うとき

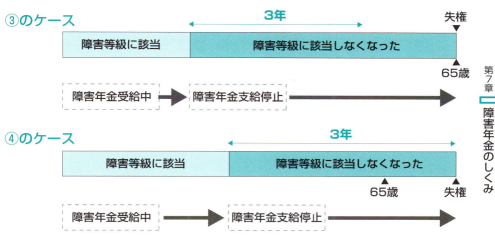

給付制限のきまり

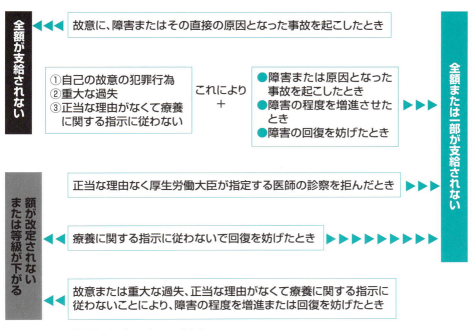

※この他にも給付制限を受けるケースがある。

それまでに受給権を失った人でも、65歳になる前日までに障害等級に該当し、請求すれば再び受けられるようになっています。

裁定請求・審査請求

不服があれば審査請求をする

診断書と申立書の書き方で成否が決まる

障害年金を受給するには、老齢年金と同じように、裁定請求手続きをしなければなりません。

請求先は、初診日に国民年金に加入していた人は市区町村、共済組合に加入していた人は、その共済組合、それ以外は年金事務所です。

裁定請求手続きをしてから、障害年金を受給できるかどうかが判明するまで、約3か月程度かかるので、障害等級に該当する障害の状態になったら、なるべく早く裁定請求をしましょう。

障害年金を受給できるかどうか、どの等級に認定されるかは、「診断書」と「申立書」の書き方がとても重要です。請求書類の記入の仕方は、はじめての方にはわかりにくいので、書き方に誤りがないかしっかりと確認しましょう。

裁定請求手続き後、審査が行われ、障害年金を受給できる場合は、「年金証書」と「支給決定通知書」が郵送で届きます。受給できない場合は「不支給決定通知書」が届きます。

審査請求で認められるケースは多い

障害年金の等級判断は、非常に難しく、受給できると思っても、等級にあてはまらないと判断されることもあります。

「障害年金を受給できない」「決定した障害等級に不服がある」場合は、社会保険審査官に「審査請求」をすることができます。

審査請求は、決定を知った日の翌日から3か月以内にしなければなりません。請求が難しければ専門家（社会保険労務士）に手伝ってもらう方法もあります。

このときの決定に不服があるときは、さらに社会保険審査会に「再審査請求」をすることができます。また、裁判を起こす方法もあります。

しかし、一度決定された等級を覆すのは簡単ではありません。大変な労力が必要になります。最初の裁定請求時から専門家に相談するほうがいいでしょう。

なお、審査請求は、障害年金の受給で使われるケースが多いのですが、老齢年金や遺族年金についても同じように使えます。

 病歴・就労状況等申立書■障害の状態を認定したり、障害年金の受給要件を満たしているかどうかをみる重要な書類です。病気やケガの発病から請

障害年金請求時の主な書類

障害年金裁定請求書	●初診日に加入している年金の種類によって用紙が異なる 厚生年金に加入⇒年金請求書（国民年金・厚生年金保険障害給付） 国民年金に加入⇒年金請求書（国民年金障害基礎年金）
年金手帳または基礎年金番号通知書	●本人
戸籍謄本または戸籍抄本	●受給権発生日以降で6か月以内のもの※
診断書	●現在受診中の医師または歯科医師のもの ●初診日に加入している年金の種類によって用紙が異なる ●障害認定日と年金請求日が1年以上離れている場合は、直近の診断書（年金請求日前3か月以内）も必要 ●障害の部位等によりレントゲンフィルムや心電図のコピー
病歴・就労状況等申立書	●請求者が病状や就労状況、日常生活の状態などを記入する ●用紙は年金事務所にある
年金証書	●他の公的年金の年金証書を持っている場合に必要
受診状況等証明書	●初診日を証明するための書類。初診日が診断書と同じ病院のときは不要 ●用紙は年金事務所にある
生計維持を証明する書類	●加算となる子や配偶者がいる場合に必要。世帯全員の住民票など※
所得を証明する書類	●加算となる子や配偶者がいる場合に必要。配偶者の非課税証明書など※
金融機関の通帳等（本人名義）	●請求者に金融機関の証明を受けた場合は不要

※マイナンバーを記載すれば原則不要。

行政の決定に不満があるときのやり方

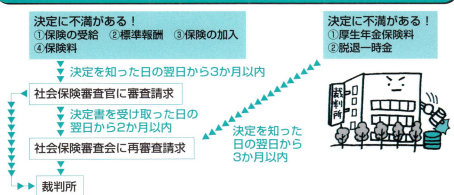

求までの受診状況など、経過をできるだけ具体的に記入しましょう。受診していない期間があった場合は、受診を中断した理由も記入しましょう。

年金の併給調整

2種類の年金を同時に受給することはできない

1人1年金の原則で調整される

年金には3つの種類（老齢年金、障害年金、遺族年金）があります。**種類の異なる年金（支給の理由が違う）を同時に受給することはできません。**

たとえば、障害年金を受給している人が一定の年齢になると老齢年金も受給できるようになります。

このとき、障害年金か老齢年金のどちらかを選択しなければなりません。両方受け取ることはできず、もう一方は支給停止となります。

年金は**「1人1年金」を原則**としているからです。

同じ理由なら2階建てで支給される

年金を受給する権利が2つ以上あるとき、複数の年金を受け取ることを併給といいます。

2階部分である厚生年金は、同じ支給の理由なら1階部分の基礎年金（国民年金）と両方受給することができます（→次ページ）。

しかし、老齢基礎年金と遺族基礎年金、老齢厚生年金と遺族厚生年金など、1階部分同士や2階部分同士では受給することはできません。

ただし、1階部分の老齢基礎年金と2階部分の遺族厚生年金など、支給の理由が異なる年金でも、例外的に受給できるケースもあります（→次ページ、226ページ）。共済年金は、厚生年金と統合されましたが、共済組合に加入していた期間の共済年金はこれまでどおり共済組合から支給されます。

障害基礎年金は他の年金と併給できる

原則として種類の異なる年金は同時に受給できませんが、平成18年4月より、**障害基礎年金は老齢厚生年金（退職共済年金）や遺族厚生年金（遺族共済年金）と併給できる**ようになりました（併給されるのは**65歳以上の人**に限る）。

また、障害基礎年金と老齢厚生年金の併給の時、子の加算額と子の加給年金がある場合には、障害基礎年金の子の加算額が優先され、老齢厚生年金の子の加給年金が支給停止となります。

 平成29年8月に、老齢年金の受給資格期間が10年に短縮されました。これにより、障害厚生年金受給中の人に、老齢厚生年金も受け取る権利が発生

併給が認められるかどうかの原則

ケース1 支給理由が同じものは併給が認められる

老齢厚生年金 （退職共済年金）	障害厚生年金 （障害共済年金）
老齢基礎年金	障害基礎年金

※障害厚生年金と障害共済年金は併給できない。

遺族厚生年金 （遺族共済年金）
遺族基礎年金

ケース2 支給理由が異なるものは併給が認められない

老齢厚生年金 （退職共済年金）	障害厚生年金 （障害共済年金）
老齢基礎年金	障害基礎年金

どちらかを選択

※障害厚生年金と障害共済年金は併給できない。

■支給理由が異なるものでも併給できるケースもある

併給できる……○　　併給できない……×　　どちらかを選択する

		国民年金		
		老齢基礎年金	障害基礎年金	遺族基礎年金
厚生年金	老齢厚生年金	○	○※	×
	障害厚生年金	×	○	×
	遺族厚生年金	○※	○※	○

※65歳以上の人に限る。

する場合があります。どちらが有利か試算し、選択しましょう。

老齢厚生年金と遺族厚生年金の併給調整（65歳から）

最も高い金額が支給される

自分の老齢厚生年金が優先される

配偶者が亡くなって遺族厚生年金を受給している人は、65歳になれば、自分自身の老齢基礎年金と、さらに厚生年金加入者は老齢厚生年金も受給できるようになります（要件に合致したとき）。

前のテーマで説明したとおり、年金は、1人1年金とされており、原則として2つの年金を受け取ることはできません。配偶者には、**65歳以降は次の3つのうちの一番高い額が支給されます**。

①老齢基礎年金＋遺族厚生年金
②老齢基礎年金＋老齢厚生年金
③老齢基礎年金＋老齢厚生年金の2分の1＋遺族厚生年金の3分の2

以前は、3つのうち1つを選ぶことになっていましたが、平成19年4月以降は、自分自身が支払った保険料をできるだけ年金額に反映させるため、**②を支給するという改正**がなされました。

ただし、①～③の最も高い金額を支給するものとし、**不足分は遺族厚生年金として支給**されます（→次ページ）。そのため、改正前後で支給額が変わるわけではありません。

法改正は、平成19年4月1日時点ですでに65歳以上で、遺族厚生年金を受給する権利がある人には適用されません。

老齢年金と遺族年金には大きな違いがある

支給額が同じでも、老齢厚生年金として受け取ることと遺族厚生年金として受け取ることには大きな違いがあります。

老齢厚生年金には「在職老齢年金」の制度が適用されるので、働いて厚生年金に加入すれば減額されます。

これに対し、遺族厚生年金には在職老齢年金の制度は適用されないため、どれだけ**高い給料をもらっても減額されることはありません**。働いて高い給料をもらっている人にとっては、遺族厚生年金を選択できなくなったことは大きな痛手といえるでしょう。

この他、税金面でも違いがあります。**老齢厚生年金には所得税**が課税されますが、**遺族厚生年金は非課税**です。そのため、支給額が同じでも、手取り額が異なります。

法改正後は、このような選択による不公平がなくなりました。

 旧共済年金の職域年金相当部分（経過的職域加算額）は併給調整の対象にならず、そのまま支給されます。

配偶者以外の遺族に③はない

ここで説明した内容は、配偶者が受け取る場合の受給額です。配偶者以外の遺族が受け取る場合は、①～③のうち、①と②で比較します。③の計算式はありません。

つまり、配偶者以外の遺族の場合は、「②自分自身の老齢基礎年金と老齢厚生年金」を受け取るものとし、①の金額のほうが②よりも高い場合は、差額を遺族厚生年金として受け取ります。

65歳以降の遺族厚生年金と老齢厚生年金の併給

- 自動的に②を受給することになります。
- 最も多い③の額との差額170,000円は遺族厚生年金として上乗せ支給されます。
  ③－②＝1,830,000円－1,660,000円＝170,000円

①
| 遺族厚生年金(死亡した人の老齢厚生年金の3／4) |
| 900,000円 |
| 老齢基礎年金 |
| 800,000円 |

合計 1,700,000円

②
| 老齢厚生年金 |
| 860,000円 |
| 老齢基礎年金 |
| 800,000円 |

合計 1,660,000円

③
| 遺族厚生年金の2／3(死亡した人の老齢厚生年金の1／2) |
| 600,000円 |
| 老齢厚生年金の1／2 |
| 430,000円 |
| 老齢基礎年金 |
| 800,000円 |

合計 1,830,000円

⚠ こんなケースは要注意

繰上げ受給をすると遺族厚生年金の支給が停止される

- 老齢基礎年金と遺族厚生年金との両方を受給できるのは、65歳以降です。65歳よりも前は両方を受給することができません。
- 老齢基礎年金の繰上げ支給を受けると遺族厚生年金は65歳まで受給できなくなります。

	60歳		65歳	
遺族厚生年金	遺族厚生年金は支給停止される		遺族厚生年金	
	繰上げ支給の老齢基礎年金			

第7章 障害年金のしくみ

遺族年金と労災保険、共済年金との調整

他の年金との調整は制度によりさまざま

労災保険が減額される

　仕事中や通勤のときの事故や、仕事が原因で病気になって死亡した場合には、労災保険から遺族（補償）年金が支給されます。

　一方、遺族基礎年金や遺族厚生年金は、仕事による事故や病気かどうかにかかわらず、厚生年金に加入中に死亡した場合は受給できるので、労災保険の遺族（補償）年金と遺族年金（遺族基礎年金・遺族厚生年金）の両方を受給できる場合があります。

　そのときは、遺族年金（遺族基礎年金・遺族厚生年金）は支給停止されることなく全額が支給されますが、**労災保険の遺族（補償）年金には一定の減額率を掛けて（→次ページ）、減額**したうえで両方とも受給することになります。

　なお、労災保険からは遺族特別支給金として300万円が受給できるほか、遺族特別年金という「特別支給金」が上乗せで支給されます（→次ページ）。

　特別支給金は、「お見舞金」としての主旨があるもので、労災保険とは別に支給されます。

　そのため、併給調整の対象にならず、そのまま受給できます。

共済年金に加入していた人の遺族厚生年金

　共済年金と厚生年金の両方の加入期間がある人の遺族厚生年金は、ケースにより異なります。

　公務員であった時期もあり、会社勤めもしていたという人が亡くなったような場合、**要件を満たせば遺族厚生年金が支給されます。**

　どこから支給されるかは、死亡した人が短期要件に該当するのか、長期要件に該当するのか（→169ページ）によって違ってきます。

　老齢厚生年金を受給していた人（長期要件を満たす人）が亡くなったような場合は、加入していた実施機関がそれぞれ計算、支給します。

　在職中で、厚生年金に加入中の人（短期要件を満たす人）が亡くなった場合は、死亡日に加入していた実施機関が、他の実施機関の加入期間分も含めて年金額を計算し、支給します。

 遺族基礎年金や遺族厚生年金の支給が停止されているときや権利がなくなった場合には、労災保険の遺族年金は減額されることなく、支給されます。

労災保険の調整率

● 遺族基礎年金・遺族厚生年金が全額支給され、労災保険には、次の率を掛けて支給されます。

遺族基礎年金・遺族厚生年金	労災保険 遺族（補償）年金
遺族基礎年金または寡婦年金	88%
遺族厚生年金＋遺族基礎年金 または 遺族厚生年金＋寡婦年金	80%
遺族厚生年金	84%

■労災保険はいくらもらえるの？（概要）

名称	年金との併給	受取り額（概要）
遺族（補償）年金	上図のとおり調整率を掛ける	年金額は、遺族の人数によって異なる 1人：給付基礎日額×153日分（55歳以上の妻は175日分） 2人：給付基礎日額×201日分 3人：給付基礎日額×223日分 4人以上：給付基礎日額×245日分 ※給付基礎日額は原則として労働基準法の平均賃金（直前3か月間の月給を暦日数で割る）
遺族特別支給金	併給調整されず、全額支給	300万円
遺族特別年金	併給調整されず、全額支給	ボーナスをもとに計算した日額で、上記の遺族（補償）年金と同じ日数分を支給される

● 死亡した者によって、生計を維持していた、配偶者、子、父母、孫、祖父母、兄弟姉妹に支給されます（年齢要件あり）。

● これらの遺族年金を受給する遺族がいない場合は、一定の遺族に遺族補償一時金、遺族特別一時金が支給されます。

障害年金と労災保険・傷病手当金との併給調整

労災保険と両方もらえる

65歳からは遺族・老齢と併給できる

年金には「1人1年金」という原則があります。そのため、1人の人が2つ以上の年金を受給できるようになったとき、いずれか1つを選択しなければなりません（併給調整）。

一度選択した年金は、「年金受給選択申出書」を提出することにより、将来にわたっていつでも変更することができます。

障害基礎年金と障害厚生年金を受給している人で、65歳から老齢厚生年金や遺族厚生年金を受け取る権利のある人は、障害厚生年金に代えて老齢厚生年金や遺族厚生年金を選ぶことができます（→次ページ、225ページ）。

老齢基礎年金、老齢厚生年金等の老齢給付は課税されますが、障害給付と遺族給付は課税されません。

また、働いて厚生年金に加入したときも、老齢厚生年金は在職老齢年金（→105ページ）の計算方法で給与と調整されますが、障害厚生年金、遺族厚生年金は調整されません。

労災保険が減額される

障害を負った原因が、仕事中や通勤での病気やケガのとき、障害年金だけでなく、労災保険からも年金が受けられます。

この場合、労災保険のほうが減額され、障害年金は全額受給することができます。**労災保険が減額される割合は、障害年金の種類により決められています。**

また、労災保険の障害（補償）一時金や特別支給金（→次ページ）を受給しても、障害年金と併給調整されません。

例外として、20歳前の障害基礎年金を受給する権利があり、労災保険からも年金を受給できる場合には、労災保険が全額支給となり、20歳前の障害基礎年金が支給停止されます。

病気やケガで、健康保険から傷病手当金を受給していて、同じ病気やケガで障害年金も受け取れるようになったとき、障害年金が支給され、**傷病手当金は受け取ることができません。**

ただし、障害年金の額が傷病手当金より少ない場合、傷病手当金から障害年金を引いた差額が支給されます。

厚生年金法には、「労働基準法に基づく障害補償を受ける権利を取得したときは、6年間、支給停止する」という決まりがありますが、労災保険に

65歳以降はいずれか1つを選択する

障害厚生年金		老齢厚生年金		遺族厚生年金
障害基礎年金	または	障害基礎年金	または	障害基礎年金

労災保険との調整

●障害年金が全額支給され、労災保険の支給率は次のようになります。

障害年金	労災保険		
	障害(補償)年金	傷病(補償)年金	休業(補償)給付
障害基礎年金と障害厚生年金を受給できるとき(障害等級1・2級)	73%	73%	73%
障害基礎年金だけを受給できるとき(障害等級1・2級)	88%	88%	88%
障害厚生年金を受給できるとき(障害等級3級)	83%	86%	88%

第7章 障害年金のしくみ

■労災保険からどんな給付が受けられるの？（概要）

	労災保険	特別支給金
障害(補償)年金 障害(補償)一時金	●病気やケガが治った後に障害が残ったとき ●障害等級1～7等級が年金で、8～14等級が一時金で支給される	●等級に応じて一時金で上乗せ支給される
傷病(補償)年金	●療養開始後1年6か月経過後に治っていないで、傷病等級1～3等級に該当するとき、年金で支給される ●休業補償は受け取れなくなる	●等級に応じて一時金で上乗せ支給される
休業(補償)給付	●病気やケガによる療養のために働くことができず、賃金を受けることができないとき ●休業4日目から1日につき平均賃金の60%	●休業4日目から1日につき平均賃金の20%が上乗せ支給される

※労災保険の障害等級は年金の障害等級と異なる。

よる補償を受ける場合は支給停止になりません。

年金請求書（老齢給付）-1

令和6年6月からは、未加入期間がないなど一定の条件を満たす人は「老齢年金請求書」を電子申請により提出できるようになりました。電子申請可能な人には、「年金請求書（事前送付用）」が送られる際に、電子申請案内のリーフレットが同封されています。

必要書類は144ページ

■の部分を記入します。印刷されている部分がまちがっているときは、二重線を引いて、正しく記入します。

印刷されている年金請求書が発行されるのは1回だけです。
書きまちがえたり、紛失した、破ったなどの場合は、「年金請求書」（白紙の用紙）を使います。

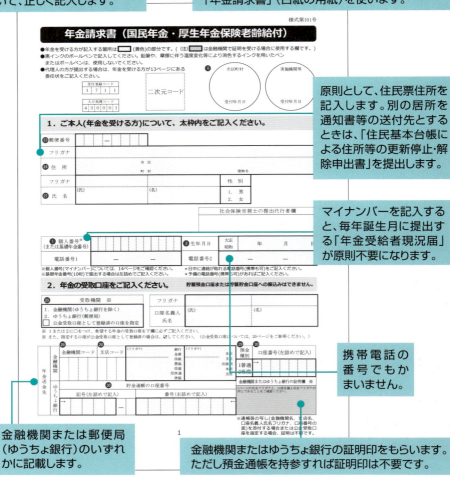

原則として、住民票住所を記入します。別の居所を通知書等の送付先とするときは、「住民基本台帳による住所等の更新停止・解除申出書」を提出します。

マイナンバーを記入すると、毎年誕生月に提出する「年金受給者現況届」が原則不要になります。

携帯電話の番号でもかまいません。

金融機関または郵便局（ゆうちょ銀行）のいずれかに記載します。

金融機関またはゆうちょ銀行の証明印をもらいます。ただし預金通帳を持参すれば証明印は不要です。

年金請求書（老齢給付）-2

過去に加入していた制度、現在加入中の制度すべてに○をします。

1つの会社でも事業場ごとに加入するので、転勤の日付に誤りがあるなど、空白期間がないか注意します。

現在加入中の場合、（至）は空欄になっています。

年金をもらうのに重要な箇所です。加入記録にモレがないか、しっかり確認しましょう。

年金記録確認のため、旧姓名を記入します。

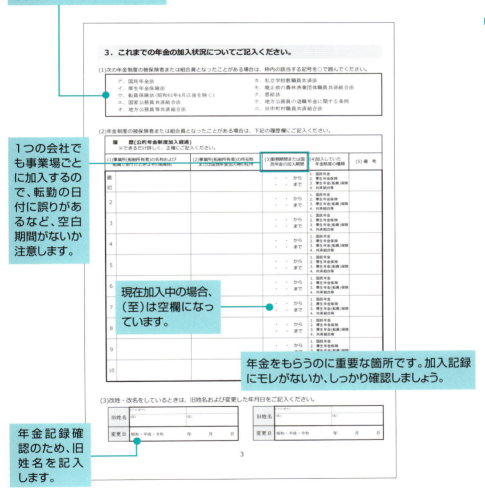

年金請求書（老齢給付）-3

> 20歳から60歳までで年金に加入していない期間がある場合は、ここに記入します。その理由等により、合算対象期間（→70、72ページ）に該当するかもしれません。

(4) 20歳から60歳までの期間で年金に加入していない期間がある場合は、その期間を下欄にご記入ください。

※この欄と、下の(5)については保険料納付済期間（厚生年金保険や共済組合等の加入期間を含む）および保険料免除期間の合計が25年以上ある方は記入不要です。

	20歳～60歳の加入していない期間	年齢	左ページの該当番号	学校や勤め先等（自営業、専業主婦等）	住所（市区町村）	婚姻、配偶者の勤め先
1	(自)　　　(至)	歳～歳				
2	(自)　　　(至)	歳～歳				
3	(自)　　　(至)	歳～歳				
4	(自)　　　(至)	歳～歳				
5	(自)　　　(至)	歳～歳				
6	(自)　　　(至)	歳～歳				
7	(自)　　　(至)	歳～歳				
8	(自)　　　(至)	歳～歳				
9	(自)　　　(至)	歳～歳				
10	(自)　　　(至)	歳～歳				

(5) 配偶者（であった方も含みます）の氏名、生年月日、基礎年金番号をご記入ください。
なお、婚姻履歴が複数ある場合は、任意の用紙にご記入ください。
※9ページ5(1)にご記入いただく場合は記入不要です。

カナ氏名　（　　　　　　　　）
漢字氏名　（　　　　　　　　）
生年月日　（明治）（大正）（昭和）（平成）（　）年（　）月（　）日
基礎年金番号（　　　－　　　　）※基礎年金番号はわかる範囲でご記入ください。

年金請求書（老齢給付）-4

請求者本人について記入をします。

現在、年金をもらっている場合（全額支給停止も含む）、年金証書にある年金の受給年月や年金コードを記入します。

巻末資料

4．現在の年金の受給状況等および雇用保険の加入状況についてご記入ください。

(1) 現在、左の6ページ（表1）のいずれかの制度の年金を受けていますか。該当する番号を○で囲んでください。

　　1．受けている（全額支給停止の場合を含む）　　2．受けていない　　3．請求中

①「1．受けている」を○で囲んだ方

公的年金制度名 （表1より記号を選択）	年金の種類	（自）	年　月	㊽ 年金証書の年金コード（4桁） または記号番号等
	・老齢または退職 ・障害 ・遺族	昭和 平成 令和	年　月	
	・老齢または退職 ・障害 ・遺族	昭和 平成 令和	年　月	
	・老齢または退職 ・障害 ・遺族	昭和 平成 令和	年　月	

「受けている」または「請求中」の人は、2つ以上受給する権利を得ると支給停止になる場合があります。

②「3．請求中」を○で囲んだ方

公的年金制度名 （表1より記号を選択）	年金の種類
	・老齢または退職 ・障害 ・遺族

↓加入した年金制度が国民年金のみの方は、次の（2）、（3）の記入は不要です。

(2) 雇用保険に加入したことがありますか。「はい」または「いいえ」を○で囲んでください。

　　　　はい　・　いいえ

①「はい」を○で囲んだ方
　雇用保険被保険者番号（10桁または11桁）を**左詰めで**ご記入ください。
　最後に雇用保険の被保険者でなくなった日から7年以上経過している方は
　下の「事由書」の「ウ」を○で囲み、氏名をご記入ください。

㉒　雇用保険
被保険者番号 ☐☐☐☐☐☐☐☐☐☐☐

雇用保険の被保険者でなくなってから、7年以上経っているときは、記入する必要はありません。

②「いいえ」を○で囲んだ方
　下の「事由書」の「ア」または「イ」を○で囲み、氏名をご記入ください。

【事由書】
私は以下の理由により、雇用保険被保険者証等を添付できません。
（該当する項目を○で囲んでください。）
ア．雇用保険の加入事業所に勤めていたが、雇用保険の被保険者から除外されていたため。
　　雇用保険法による適用事業所に雇用される者であるが、雇用保険被保険者の適用除外であり、
　　雇用保険被保険者証の交付を受けたことがない。（例　事業主、事業主の妻等）
イ．雇用保険に加入していない事業所に勤めていたため。
　　雇用保険法による適用事業所に雇用されたことがないため、雇用保険被保険者証の交付を
　　受けたことがない。
ウ．最後に雇用保険の被保険者でなくなった日から7年以上経過しているため。
　　過去に雇用保険被保険者証の交付を受けたが、老齢厚生年金の年金請求書受付日において、
　　最後に雇用保険被保険者の資格を喪失してから7年以上経過している。

氏名

(3) 60歳から65歳になるまでの間に、雇用保険の基本手当（船員保険の場合は失業保険金）または高年齢雇用継続給付を
受けていますか（または受けたことがありますか）。「はい」または「いいえ」を○で囲んでください。

　　　　はい　・　いいえ　　＊これから受ける予定のある方は、年金事務所等にお問い合わせください。

「はい」の人は、年金が支給停止または減額されることがあります（→110、116ページ）。

7

235

年金請求書（老齢給付）-5

配偶者は、婚姻の届け出はしていなくても、本人と「婚姻関係と同様の状態にある方」を含みます。

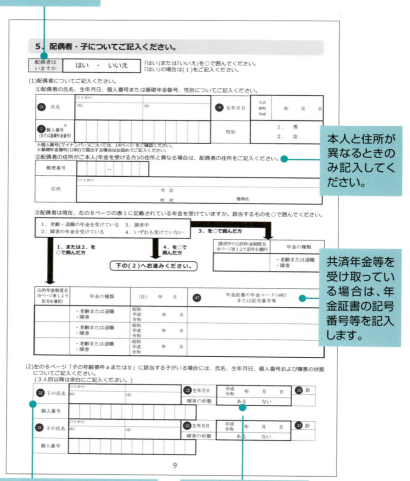

本人と住所が異なるときのみ記入してください。

共済年金等を受け取っている場合は、年金証書の記号番号等を記入します。

高校卒業までの子、障害等級1・2級の状態にある20歳未満の子がいる場合に記入します。

「ある」場合は診断書の提出が必要です。

年金請求書（老齢給付）-6

前ページで記入した配偶者・子と生計を同じくしているとき記入します。

6．加給年金額に関する生計維持の申し立てについてご記入ください。

9ページで記入した配偶者または子と生計を同じくしていることを申し立てる。

請求者氏名

【生計維持とは】
以下の2つの要件を満たしているとき、「生計維持されている」といいます。

①生計同一関係があること
　例）・住民票上、同一世帯である。
　　　・単身赴任、就学、病気療養等で、住所が住民票上は異なっているが、生活費を共にしている。

②配偶者または子の収入要件を満たしていること
　年収850万円（所得655.5万円）を将来にわたって有しないことが認められる。

ご本人（年金を受ける方）によって、生計維持されている配偶者または子がいる場合

(1) 該当するものを○で囲んでください（3人目以降の子については、余白を使用してご記入ください）。

配偶者または子の年収は、850万円（所得655.5万円）未満ですか。		機構確認欄
配偶者について	はい ・ いいえ	（　）印
子（名：　　）について	はい ・ いいえ	（　）印
子（名：　　）について	はい ・ いいえ	（　）印

(2) (1)で配偶者または子の年収について「いいえ」と答えた方は、配偶者または子の年収がこの年金の受給権（年金を受け取る権利）が発生したときから、おおむね5年以内に850万円（所得655.5万円）未満となる見込みがありますか。該当するものを○で囲んでください。

はい ・ いいえ　　機構確認欄　（　）印

「はい」を○で囲んだ方は、添付書類が必要です。

令和　　年　　月　　日　提出

配偶者または子の年収が5年以内に850万円（所得655.5万円）未満になるときは「はい」に○をします。

「はい」の場合、収入について証明する書類が必要です（9ページ目にマイナンバーを記入すれば不要）。

生計を維持している配偶者または子（→前ページ）がいるとき、加給年金が加算されることがあります（→94ページ）。

237

年金請求書(老齢給付)-7

平成29年以降、マイナンバーを記載するためのシートが追加されています。あわせて、マイナンバーカードまたは通知カードと運転免許証等の提出が必要です。

年金請求書（老齢給付）-8

> 配偶者によって生計維持されている場合、振替加算が加算されることがあります（→98ページ）。

4．振替加算に関する生計維持の申し立てについてご記入ください。

9ページで記入した配偶者と生計を同じくしていることを申し立てる。

請求者氏名：

・【生計維持とは】
以下の2つの要件を満たしているとき、「生計維持されている」といいます。

① 生計同一関係があること
　例）・住民票上、同一世帯である。
　　　・単身赴任（令和、病気療養等で、住所が住民票上は異なっているが、生活費を共にしている。

② ご本人（年金を受ける方）が収入要件を満たしていること
　年収850万円（所得655.5万円）を将来にわたって有しないことが認められる。

ご本人（年金を受ける方）が配偶者によって生計維持されている場合

該当するものを○で囲んでください。
（1）ご本人（年金を受ける方）の年収は 850万円（所得655.5万円）未満ですか。

　　　はい　・　いいえ　　機構確認欄　（　）印

（2）（1）で「いいえ」を○で囲んだ方は、ご本人の年収がこの年金の受給権（年金を受け取る権利）が発生したときから、おおむね 5年以内に 850万円（所得655.5万円）未満となる見込みがありますか。

　　　はい　・　いいえ　　機構確認欄　（　）印

「はい」を○で囲んだ方は、添付書類が必要です。

年金事務所等の確認事項
ア．健保等被扶養者（第3号被保険者）　　エ．義務教育終了前
イ．加算額または加給年金額対象者　　　　オ．高等学校等在学中
ウ．国民年金保険料免除世帯　　　　　　　カ．源泉徴収票・所得証明等

令和　　年　　月　　日　提出

> 本人（年金を受ける方）の年収が5年以内に850万円（所得655.5万円）未満になるときは「はい」に○をします。

年金請求書（老齢給付）-9

国民年金の老齢基礎年金のみ請求する場合は、記入する必要はありません。

本人の所得の見積額が900万円を超える場合、○をします。

配偶者の収入が年金のみで、記載の金額以下の場合、○をします。

老齢基礎年金・老齢厚生年金　支給繰下げ申出書

この申出書は、65歳以後に老齢基礎年金または老齢厚生年金の請求を行う場合の届書です。
- 老齢基礎年金または老齢厚生年金の受給権を有してから1年を経過して、まだ裁定請求をしていない人が繰り下げを申し出ることができます。
- 65歳の誕生日の前日から66歳の誕生日の前日までに、他の年金の受給権を有したことがあるときは、繰り下げの申出をすることができません。
- 支給繰り下げは、老齢基礎年金と老齢厚生年金、いずれか一方のみ行うことができます。
- この請求書は、年金請求書と同時に提出します。

老齢基礎年金・老齢厚生年金　支給繰下げ申出書

[平成19年4月1日以後に老齢厚生年金の受給権を有した方が老齢基礎年金または老齢厚生年金の繰下げを希望するときの申出書]

① 個人番号（または基礎年金番号）	1238 7890 1218	課所符号	進達番号
② 氏名	(フリガナ) フジワラ　ノリコ　藤原　紀子		
③ 生年月日	大正・昭和　××年　4月　15日		
④ 住所	1620814　東京都新宿区新小川町×-×　TEL(03)-(××××)-(××××)		
⑤ 繰下げを希望する年金に○をご記入ください。	1. 老齢基礎年金の繰下げを申し出します。　2. 老齢厚生年金の繰下げを申し出します。		令和××年 5月 10日

老齢基礎年金と老齢厚生年金の一方のみを請求する場合は、引き続き繰り下げるほうに○をします。

注意事項

1. この申出書は、65歳以後に老齢基礎年金および老齢厚生年金の裁定の請求を行い、いずれかの年金について支給の繰下げを希望するときに必要な届書です。
なお、平成19年3月31日前に老齢厚生年金の受給権が発生した方は、様式第103号の申出書で届け出てください。
【詳しくは裏面をご覧ください】

2. 65歳の誕生日の前日から、66歳の誕生日の前日までに、他の年金（※）の受給権を有したことがあるときは、支給繰下げの申し出をすることができません。

3. 66歳の誕生日以後、他の年金（※）の受給権を有したことがある方が、それ以後、支給繰下げの申し出をした場合は、他の年金の受給権を有した日において支給繰下げの申し出があったとみなされます。

4. この申請書は、年金請求書（国民年金・厚生年金保険老齢給付）（様式第101号）と同時に提出してください。

5. 黒インクのボールペンで記入してください。鉛筆や、摩擦に伴う温度変化等により消色するインクを用いたペン又はボールペンは、使用しないでください。

※ 他の年金とは、老齢基礎年金の場合は、障害基礎年金・障害厚生年金・障害共済年金等の障害給付や遺族基礎年金・遺族厚生年金・遺族共済年金等の遺族給付をいいます。老齢厚生年金の場合は、上記の年金から障害基礎年金・旧法国民年金の障害年金を除いた残りの年金をいいます。

年金分割のための情報提供請求書

この書類は離婚分割の前に加入状況や年金見込み額を調べる書類です（→196ページ）。

請求者（自分）自身のことを書きます。

様式第650号

年金分割のための情報提供請求書

基礎年金番号（10桁）で届出する場合は左詰めでご記入ください。

① 個人番号（または基礎年金番号）： 1364876532
② 生年月日： 昭和 ××年03月01日
⑦ 氏名： （フリガナ）モリタ カズミ　森田（旧姓 山本）和美
④ 住所の郵便番号： 541-××××
⑨ 住所： （フリガナ）オオサカ チュウオウク ×-×　大阪市中央区×-×

配偶者（元配偶者）のことを書きます。

③ 個人番号（または基礎年金番号）： 3456771166
④ 生年月日： 昭和 ××年05月15日
⑦ 氏名： （フリガナ）モリタ イチロウ　森田（旧姓　）一郎
④ 住所の郵便番号： 541-××××
⑨ 住所： （フリガナ）オオサカ チュウオウク ×-×　大阪市中央区×-×

わからなければ「不明」と書きます。

③ 情報の提供を受けようとする婚姻期間等について、該当する項目を○で囲み、それぞれの項目に応じて定められた欄をご記入ください。
　ア．婚姻の届出をした期間（法律婚期間）のみを有する。⇒「2」欄
　イ．婚姻の届出をしていないが事実上婚姻関係と同様の事情にあった期間（事実婚期間）のみを有する。⇒「3・5」欄
　ウ．事実婚期間から引き続く法律婚期間を有する。⇒「4・5」欄

法律婚のみのときに書きます。

2．現在、引き続き法律婚関係にありますか。（ある・ない）
　「ある」に○をつけた方は⑥欄を、「ない」に○をつけた方は⑥と⑦欄をご記入ください。
　⑥ 婚姻した日　昭・平・令　06 05 23　⑦ 離婚した日、または婚姻が取り消された日

事実婚（婚姻届を提出していない）のみのときに書きます。

3．現在、引き続き事実婚関係にありますか。（ある・ない）
　⑥ 事実婚3号被保険者期間の初日　　⑦ 事実婚関係が解消したと認められる日

4．現在、引き続き法律婚関係にありますか。（ある・ない）
　⑥ 事実婚3号被保険者期間の初日　　婚姻した日　　　離婚した日、または婚姻が取り消された日

事実婚から引き続く法律婚期間のときに書きます。

5．事実婚期間にある間に、当事者二人のうち、その一方が他方の被扶養配偶者として第3号被保険者であった期間を全てご記入ください。

事実婚期間があるとき、第3号被保険者（被扶養配偶者）だった期間をすべて書きます（足りないときは別紙を添付する）。

> 自分が②に書いた人以外の人と婚姻関係が
> なければ「いいえ」に〇をします。

④ 対象期間に含めない期間

1. 情報提供を受けようとする婚姻期間において、
ア.①欄に記入した方が、「②欄に記入した方以外の方」の被扶養配偶者としての第3号被保険者であった期間がありますか。（ はい ・ いいえ ）
イ.①欄に記入した方が「②欄に記入した方以外の方」を被扶養配偶者とし、その方が第3号被保険者であった期間がありますか。（ はい ・ いいえ ）
ウ.「ア」または「イ」について、「はい」を〇で囲んだ場合は、その「②欄に記入した以外の方」の氏名、生年月日および基礎年金番号をご記入ください。

氏名（フリガナ）／生年月日 明大昭平令・大正和成

> 配偶者が自分以外に婚姻関係がなければ「いいえ」に〇をします。

2. 情報提供を受けようとする婚姻期間において、
ア.②欄に記入した方が、「①欄に記入した方以外の方」の被扶養配偶者としての第3号被保険者であった期間がありますか。（ はい ・ いいえ ）
イ.②欄に記入した方が「①欄に記入した方以外の方」を被扶養配偶者とし、その方が第3号被保険者であった期間がありますか。（ はい ・ いいえ ）
ウ.「ア」または「イ」について、「はい」を〇で囲んだ場合は、その「①欄に記入した以外の方」の氏名、生年月日および基礎年金番号をご記入ください。

氏名（フリガナ）／生年月日 明大昭平令・大正和成

⑤ 再請求理由

※情報の提供を受けようとする婚姻期間等について、過去に、情報提供を受けたことが

1. 前回、情報提供を受けた日の翌日から3か月を経過していますか。（ はい ）
2. 「いいえ」を〇で囲んだ場合は、再請求の理由について次のいずれかに該当する項目に〇をつけてください。
ア. 請求者（甲）または（乙）の被保険者の種別の変更があったため。
イ. 請求者（甲）または（乙）が養育期間に係る申出を行ったため。
ウ. 請求者（甲）または（乙）が第3号被保険者に係る届出を行ったため。
エ. 按分割合を定めるための裁判手続に必要なため。
オ. その他（　　）

> 過去にこの情報提供を請求した人は記入します（原則として3か月経過する必要がある）。

> 年金事務所に提出した場合は、窓口での受け取りもできます（アに〇をする）。

⑥ 請求者（甲）の意思確認

厚生年金保険法第78条の4の規定に基づき、標準報酬改定請求を行うために必要な情報の提供を請求します。なお、年金分割のための情報通知書等については、（ア. 年金事務所窓口での交付・イ. 郵送による交付）を希望します。

令和 ×年 ×月 ××日

⑩氏名　森田 和美
電話番号　090（ ××× ） ××××
送付先住所
　⑱郵便番号　ー
　⑲住所（フリガナ）　市区町村　ウ住所と同じ

⑦ 請求者（乙）の意思確認

厚生年金保険法第78条の4の規定に基づき、標準報酬改定請求を行うために必要な情報の提供を請求します。なお、年金分割のための情報通知書等については、（ア. 年金事務所窓口での交付・イ. 郵送による交付）を希望します。

令和　年　月　日

⑩氏名
電話番号　（ ）
送付先住所
　⑱郵便番号　ー
　⑲住所（フリガナ）　市区町村

> 自分1人で請求するときは記入不要です。

職員が記入するため、請求者は記入不要です。

⑧ 対象期間 ｜ ⑪共済組合コード1 ｜ ⑫共済組合コード2 ｜ ⑬共済組合コード3

巻末資料

243

請求者（自分）のことをできるだけ詳しく正確に書きます。

⑨ 請求者（甲）の婚姻期間等に係る資格記録
※ 欄外の注意事項を確認のうえ、できるだけ詳しく、正確にご記入ください。

	事業所（船舶所有者）の名称および船員であったときはその船舶名（国民年金に加入していた場合は国民年金とご記入ください。）	事業所（船舶所有者）の所在地または国民年金加入時の住所	勤務期間または国民年金の加入期間	加入していた年金制度の種類（○で囲んでください）	備考
1	㈱○○産業	京都市中京区×-×	昭和・××・4 から 平成・××・4 まで	1 国民年金（1号・3号）／**2 厚生年金保険**／3 厚生年金保険(船員)／4 共済組合等	
2	国民年金	大阪市中央区×-×	平成・××・4 から 継続中 まで	**1 国民年金**（1号・**3号**）／2 厚生年金保険／3 厚生年金保険(船員)／4 共済組合等	
3			・ ・ から ・ ・ まで	1 国民年金（1号・3号）／2 厚生年金保険／3 厚生年金保険(船員)／4 共済組合等	
4			・ ・ から ・ ・ まで	1 国民年金（1号・3号）／2 厚生年金保険／3 厚生年金保険(船員)／4 共済組合等	
5			・ ・ から ・ ・ まで	1 国民年金（1号・3号）／2 厚生年金保険／3 厚生年金保険(船員)／4 共済組合等	
6			・ ・ から ・ ・ まで	1 国民年金（1号・3号）／2 厚生年金保険／3 厚生年金保険(船員)／4 共済組合等	
7			・ ・ から ・ ・ まで	1 国民年金（1号・3号）／2 厚生年金保険／3 厚生年金保険(船員)／4 共済組合等	

備考欄

（注1）本請求書を提出する日において、厚生年金保険の被保険者である状態が続いている場合には、勤務期間欄は「○○．○○．○○から、継続中」とご記入ください。
（注2）記入欄が足りない場合には、備考欄にご記入ください。
（注3）加入していた年金制度が農林漁業団体等の場合、事業所名称欄には「農林漁業団体等の名称」を、事業所所在地欄には「農林漁業団体等の住所地」をご記入ください。
（注4）米軍等の施設関係に勤めていたことがある方は、事業所名称欄に部隊名、施設名、職種をできるかぎりご記入ください。

個人で保険料を納める第四種被保険者、船員保険の年金任意継続被保険者となったことがありますか。	1 はい ・ **②** いいえ
「はい」と答えたときは、その保険料を納めた社会保険事務局、社会保険事務所または社会保険事務局の事務所の名称をご記入ください。	
その保険料を納めた期間をご記入ください。	昭和・平成・令和 年 月 日から昭和・平成・令和 年 月 日
第四種被保険者(船員年金任意継続被保険者)の整理記号番号をご記入ください。	記号　　　　番号

⑩ 請求者（甲）の年金見込額照会

50歳以上の方または障害厚生年金を受けている方で希望される方に対しては、年金分割をした場合の年金見込額をお知らせします。該当するものに○をつけてください。
1．年金見込額照会を希望しますか。（ **希望する** ・ 希望しない ）
2．希望するを○で囲んだ場合は、希望する年金の種類と按分割合（上限50％）をご記入ください。
　ア．希望する年金の種類（ **老齢厚生年金** ・ 障害厚生年金 ）
　イ．希望する按分割合　（ **５０** ％）

配偶者についてできるだけ詳しく書きます。

詳しくわからないときでも、年月まで、または「〇年夏」と書きます。

[11] 請求者（乙）または配偶者の婚姻期間等に係る資格記録
※ 欄外の注意事項を確認のうえ、できるだけ詳しく、正確にご記入ください。

	事業所（船舶所有者）の名称および船員であったときはその船舶名（国民年金に加入していた場合は国民年金と記入して下さい。）	事業所（船舶所有者）の所在地または国民年金加入時の住所	勤務期間または国民年金の加入期間	加入していた年金制度の種類（〇で囲んでください）	備考
1	㈱△△化学	大阪市北区×－×	昭和・××・4 から 継続中 まで	1 国民年金（1号・3号） **2 厚生年金保険** 3 厚生年金保険（船員） 4 共済組合等	
2			・・ から ・・ まで	1 国民年金（1号・3号） 2 厚生年金保険 3 厚生年金保険（船員） 4 共済組合等	
3			・・ から ・・ まで	1 国民年金（1号・3号） 2 厚生年金保険 3 厚生年金保険（船員） 4 共済組合等	
4			・・ から ・・ まで	1 国民年金（1号・3号） 2 厚生年金保険 3 厚生年金保険（船員） 4 共済組合等	
5			・・ から ・・ まで	1 国民年金（1号・3号） 2 厚生年金保険 3 厚生年金保険（船員） 4 共済組合等	
6			・・ から ・・ まで	1 国民年金（1号・3号） 2 厚生年金保険 3 厚生年金保険（船員） 4 共済組合等	

詳しくわからないときでも、都市区名までは書きます。

配偶者の住所歴
・・ から ・・ まで	
・・ から ・・ まで	
・・ から ・・ まで	

（注1）本請求書を提出する日において、厚生年金保険の被保険者である状態が続いている場合には、勤務期間は「〇〇．〇〇．〇〇から、継続中」とご記入ください。
（注2）記入欄が足りない場合には、備考欄にご記入ください。
（注3）加入していた年金制度が農林漁業団体等の場合、事業所名称欄には「農林漁業団体等の名称」を、事業所所在地欄には「農林漁業団体等の住所地」をご記入ください。
（注4）米軍等の施設関係に勤めていたことがある方は、事業所名称欄に部隊名、施設名、職種をできるかぎりご記入ください。
（注5）当事者の一方のみによる請求の場合であって、現住所が不明な場合は「（住所）」に不明と記入し、「配偶者の住所歴」に住所をわかる範囲でご記入ください。

個人で保険料を納める第四種被保険者、船員保険の年金任意継続被保険者となったことがありますか。	1 はい ・ ②いいえ
「はい」と答えたときは、その保険料を納めた年金事務所（社会保険事務所）の名称をご記入ください。	
その保険料を納めた期間をご記入ください。	昭和・平成・令和　年　月　日から昭和・平成・令和　年　月　日
第四種被保険者（船員年金任意継続被保険者）の整理記号番号をご	

[12] 請求者（乙）の年金見込額照会

配偶者へのお知らせについて書く欄です。自分1人で請求するときは記入不要です。

50歳以上の方または障害厚生年金を受けている方で希望される方に対しては、年金分割をした場合の年金見込額をお知らせします。該当するものに〇をつけてください。
1．年金見込額照会を希望しますか。　　（　希望する　・　希望しない　）
2．希望するを〇で囲んだ場合は、希望する年金の種類と按分割合（上限50％）をご記入ください。
　ア．希望する年金の種類　（　老齢厚生年金　・　障害厚生年金　）
　イ．希望する按分割合　（　　　　％）

巻末資料

年金請求書（遺族給付）-1

必要書類は181ページ

死亡した方について書く

基礎年金番号が2つ以上ある場合は窓口で申し出る

遺族年金の請求者について書く

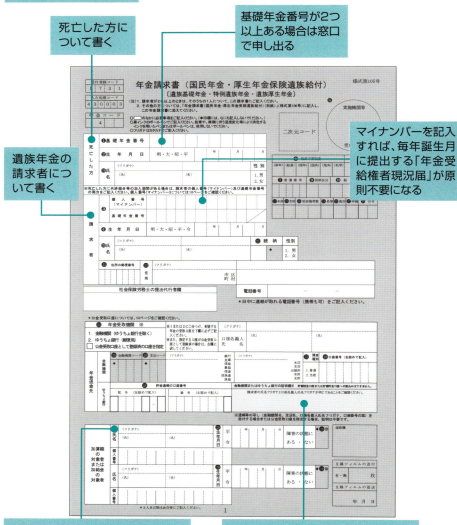

マイナンバーを記入すれば、毎年誕生月に提出する「年金受給権者現況届」が原則不要になる

生計を同じくする子で年齢要件を満たす人がいる場合に記入する（18歳に達した後の最初の3月31日までの子）

金融機関の証明を受ける
ただし、預金通帳を持参する場合や公金受取口座として登録済の場合、証明は不要

年金請求書(遺族給付)-2

年金請求書（遺族給付）-3

交通事故など第三者による行為が原因で死亡した場合は別途書類が必要

年金を受け取っていた方が亡くなった場合は、死亡届が必要。また、受け取る年金が残っている場合は、未支給年金を請求することができる

年金請求書（遺族給付）-4

死亡した方によって生計を維持されていた方について書く

委任状

代理人に手続きを委任する場合に書く

代理人の方は本人確認書類が必要（免許証、マイナンバーカード等）

健康保険（東京都）・厚生年金保険料額表

標準報酬		報酬月額		全国健康保険協会管掌健康保険料				厚生年金保険料（厚生年金基金加入員を除く）	
^^		^^		介護保険第2号被保険者に該当しない場合		介護保険第2号被保険者に該当する場合		一般、坑内員・船員	
^^		^^		9.98%				11.58%				18.300%※	
等級	月額	円以上	円未満	全額	折半額	全額	折半額	全額	折半額
1	58,000	～	63,000	5,788.4	2,894.2	6,716.4	3,358.2		
2	68,000	63,000 ～	73,000	6,786.4	3,393.2	7,874.4	3,937.2		
3	78,000	73,000 ～	83,000	7,784.4	3,892.2	9,032.4	4,516.2		
4(1)	88,000	83,000 ～	93,000	8,782.4	4,391.2	10,190.4	5,095.2	16,104.00	8,052.00
5(2)	98,000	93,000 ～	101,000	9,780.4	4,890.2	11,348.4	5,674.2	17,934.00	8,967.00
6(3)	104,000	101,000 ～	107,000	10,379.2	5,189.6	12,043.2	6,021.6	19,032.00	9,516.00
7(4)	110,000	107,000 ～	114,000	10,978.0	5,489.0	12,738.0	6,369.0	20,130.00	10,065.00
8(5)	118,000	114,000 ～	122,000	11,776.4	5,888.2	13,664.4	6,832.2	21,594.00	10,797.00
9(6)	126,000	122,000 ～	130,000	12,574.8	6,287.4	14,590.8	7,295.4	23,058.00	11,529.00
10(7)	134,000	130,000 ～	138,000	13,373.2	6,686.6	15,517.2	7,758.6	24,522.00	12,261.00
11(8)	142,000	138,000 ～	146,000	14,171.6	7,085.8	16,443.6	8,221.8	25,986.00	12,993.00
12(9)	150,000	146,000 ～	155,000	14,970.0	7,485.0	17,370.0	8,685.0	27,450.00	13,725.00
13(10)	160,000	155,000 ～	165,000	15,968.0	7,984.0	18,528.0	9,264.0	29,280.00	14,640.00
14(11)	170,000	165,000 ～	175,000	16,966.0	8,483.0	19,686.0	9,843.0	31,110.00	15,555.00
15(12)	180,000	175,000 ～	185,000	17,964.0	8,982.0	20,844.0	10,422.0	32,940.00	16,470.00
16(13)	190,000	185,000 ～	195,000	18,962.0	9,481.0	22,002.0	11,001.0	34,770.00	17,385.00
17(14)	200,000	195,000 ～	210,000	19,960.0	9,980.0	23,160.0	11,580.0	36,600.00	18,300.00
18(15)	220,000	210,000 ～	230,000	21,956.0	10,978.0	25,476.0	12,738.0	40,260.00	20,130.00
19(16)	240,000	230,000 ～	250,000	23,952.0	11,976.0	27,792.0	13,896.0	43,920.00	21,960.00
20(17)	260,000	250,000 ～	270,000	25,948.0	12,974.0	30,108.0	15,054.0	47,580.00	23,790.00
21(18)	280,000	270,000 ～	290,000	27,944.0	13,972.0	32,424.0	16,212.0	51,240.00	25,620.00
22(19)	300,000	290,000 ～	310,000	29,940.0	14,970.0	34,740.0	17,370.0	54,900.00	27,450.00
23(20)	320,000	310,000 ～	330,000	31,936.0	15,968.0	37,056.0	18,528.0	58,560.00	29,280.00
24(21)	340,000	330,000 ～	350,000	33,932.0	16,966.0	39,372.0	19,686.0	62,220.00	31,110.00
25(22)	360,000	350,000 ～	370,000	35,928.0	17,964.0	41,688.0	20,844.0	65,880.00	32,940.00
26(23)	380,000	370,000 ～	395,000	37,924.0	18,962.0	44,004.0	22,002.0	69,540.00	34,770.00
27(24)	410,000	395,000 ～	425,000	40,918.0	20,459.0	47,478.0	23,739.0	75,030.00	37,515.00
28(25)	440,000	425,000 ～	455,000	43,912.0	21,956.0	50,952.0	25,476.0	80,520.00	40,260.00
29(26)	470,000	455,000 ～	485,000	46,906.0	23,453.0	54,426.0	27,213.0	86,010.00	43,005.00
30(27)	500,000	485,000 ～	515,000	49,900.0	24,950.0	57,900.0	28,950.0	91,500.00	45,750.00
31(28)	530,000	515,000 ～	545,000	52,894.0	26,447.0	61,374.0	30,687.0	96,990.00	48,495.00
32(29)	560,000	545,000 ～	575,000	55,888.0	27,944.0	64,848.0	32,424.0	102,480.00	51,240.00
33(30)	590,000	575,000 ～	605,000	58,882.0	29,441.0	68,322.0	34,161.0	107,970.00	53,985.00
34(31)	620,000	605,000 ～	635,000	61,876.0	30,938.0	71,796.0	35,898.0	113,460.00	56,730.00
35(32)	650,000	635,000 ～	665,000	64,870.0	32,435.0	75,270.0	37,635.0	118,950.00	59,475.00
36	680,000	665,000 ～	695,000	67,864.0	33,932.0	78,744.0	39,372.0		
37	710,000	695,000 ～	730,000	70,858.0	35,429.0	82,218.0	41,109.0		
38	750,000	730,000 ～	770,000	74,850.0	37,425.0	86,850.0	43,425.0		
39	790,000	770,000 ～	810,000	78,842.0	39,421.0	91,482.0	45,741.0		
40	830,000	810,000 ～	855,000	82,834.0	41,417.0	96,114.0	48,057.0		
41	880,000	855,000 ～	905,000	87,824.0	43,912.0	101,904.0	50,952.0		
42	930,000	905,000 ～	955,000	92,814.0	46,407.0	107,694.0	53,847.0		
43	980,000	955,000 ～	1,005,000	97,804.0	48,902.0	113,484.0	56,742.0		
44	1,030,000	1,005,000 ～	1,055,000	102,794.0	51,397.0	119,274.0	59,637.0		
45	1,090,000	1,055,000 ～	1,115,000	108,782.0	54,391.0	126,222.0	63,111.0		
46	1,150,000	1,115,000 ～	1,175,000	114,770.0	57,385.0	133,170.0	66,585.0		
47	1,210,000	1,175,000 ～	1,235,000	120,758.0	60,379.0	140,118.0	70,059.0		
48	1,270,000	1,235,000 ～	1,295,000	126,746.0	63,373.0	147,066.0	73,533.0		
49	1,330,000	1,295,000 ～	1,355,000	132,734.0	66,367.0	154,014.0	77,007.0		
50	1,390,000	1,355,000 ～		138,722.0	69,361.0	160,962.0	80,481.0		

※厚生年金基金に加入している方の厚生年金保険料率は、基金ごとに定められている免除保険料（2.1%～5.0%）を控除した率となります。

加入する基金ごとに異なりますので、免除保険料率および厚生年金基金の掛金については、加入する厚生年金基金にお問い合わせください。

健康保険料は都道府県により料率が異なります。ここでは東京都のものを記載。

年金額一覧表（2024年度価額）

※カッコ内は受け取る人が昭和31年4月1日以前生まれの方。

■国民年金

基礎年金の額		2024年度年額
老齢基礎年金		816,000円（813,700円）
障害基礎年金	1級	1,020,000円（1,017,125円）
	2級	816,000円（813,700円）
遺族基礎年金		816,000円（813,700円）

障害基礎年金および遺族基礎年金の子の加算額	2024年度年額
第1子・第2子	234,800円
第3子以降	78,300円

子のある配偶者に支給される遺族基礎年金の額（2024年度）	基本額	加算額	合計額
子が1人の場合	816,000円（813,700円）	234,800円	1,050,800円（1,048,500円）
子が2人の場合	816,000円（813,700円）	469,600円	1,285,600円（1,283,300円）
子が3人の場合	816,000円（813,700円）	547,900円	1,363,900円（1,361,600円）

子に支給される遺族基礎年金の額（2024年度）	基本額	加算額	合計額
子が1人の場合	816,000円	—	816,000円
子が2人の場合	816,000円	234,800円	1,050,800円
子が3人の場合	816,000円	313,100円	1,129,100円

■厚生年金

老齢厚生年金加給年金額	2024年度年額
配偶者・第1子・第2子	234,800円
第3子以降	78,300円

※受け取る人が昭和18年4月2日以降の配偶者は408,100円。

障害厚生年金関係	2024年度年額
3級障害厚生年金の最低保障額	612,000円（610,300円）
障害厚生年金の配偶者加給年金額	234,800円

遺族厚生年金関係	2024年度年額
中高齢寡婦加算の額	612,000円

保険料一覧表（2024年度価額）

国民年金保険料	16,980円
付加保険料	400円

巻末資料

生年月日別早見表

生年月日	令和6年の年齢	厚生・共済年金の加入期間 (年)	厚生年金の中高齢特例 (年)	加入可能年数 (年)	老齢基礎年金 振替加算 (受け取る人の生年月日)	老齢厚生年金 男性の支給開始 報酬比例	老齢厚生年金 男性の支給開始 定額部分	老齢厚生年金 女性の支給開始 報酬比例	老齢厚生年金 女性の支給開始 定額部分	定額部分の上限月数	平成12年改正前 報酬比例部分の乗率 H15.3まで	平成12年改正前 H15.4から	平成12年改正後 H15.3まで	平成12年改正後 H15.4から	配偶者加給年金額 (本人の生年月日)	経過的寡婦加算 (妻の生年月日) (年)
本書の対応ページ		71		81	99		78			86		89			95	179
T15.4.1以前	99				旧制度の老齢年金または通算老齢年金が支給される											
T15.4.2～S2.4.1	98	20	15	25	234,100	60歳		55歳		420	1.875	10.00	7.692	9.500	7.308	234,800	610,300
S2.4.2～S3.4.1	97	〃	〃	26	227,779	〃		〃		〃	1.817	9.86	7.585	9.367	7.205	〃	579,004
S3.4.2～S4.4.1	96	〃	〃	27	221,693	〃		〃		〃	1.761	9.72	7.477	9.234	7.103	〃	550,026
S4.4.2～S5.4.1	95	〃	〃	28	215,372	〃		〃		432	1.707	9.58	7.369	9.101	7.001	〃	523,118
S5.4.2～S6.4.1	94	〃	〃	29	209,051	〃		〃		〃	1.654	9.44	7.262	8.968	6.898	〃	498,066
S6.4.2～S7.4.1	93	〃	〃	30	202,965	〃		〃		〃	1.603	9.31	7.162	8.845	6.804	〃	474,683
S7.4.2～S8.4.1	92	〃	〃	31	196,644	〃		56歳		〃	1.553	9.17	7.054	8.712	6.702	〃	452,810
S8.4.2～S9.4.1	91	〃	〃	32	190,323	〃		〃		〃	1.500	9.04	6.954	8.588	6.606	〃	432,303
S9.4.2～S10.4.1	90	〃	〃	33	184,237	〃		57歳		444	1.458	8.91	6.854	8.465	6.512	269,500	413,039
S10.4.2～S11.4.1	89	〃	〃	34	177,916	〃		〃		〃	1.413	8.79	6.762	8.351	6.424	〃	394,909
S11.4.2～S12.4.1	88	〃	〃	35	171,595	〃		58歳		〃	1.369	8.66	6.662	8.227	6.328	〃	377,814
S12.4.2～S13.4.1	87	〃	〃	36	165,509	〃		〃		〃	1.327	8.54	6.569	8.113	6.241	〃	361,669
S13.4.2～S14.4.1	86	〃	〃	37	159,188	〃		59歳		〃	1.286	8.41	6.469	7.990	6.146	〃	346,397
S14.4.2～S15.4.1	85	〃	〃	38	152,867	〃		〃		〃	1.246	8.29	6.377	7.876	6.058	〃	331,929
S15.4.2～S16.4.1	84	〃	〃	39	146,781	〃		60歳		〃	1.208	8.18	6.292	7.771	5.978	304,100	318,203
S16.4.2～S17.4.1	83	〃	〃	40	140,460	60歳	61歳	〃		〃	1.170	8.06	6.200	7.657	5.890	338,800	305,162
S17.4.2～S18.4.1	82	〃	〃	〃	134,139	〃	〃	〃		〃	1.134	7.94	6.108	7.543	5.802	373,400	284,820
S18.4.2～S19.4.1	81	〃	〃	〃	128,053	〃	62歳	〃		〃	1.099	7.83	6.023	7.439	5.722	408,100	264,477
S19.4.2～S20.4.1	80	〃	〃	〃	121,732	〃	〃	〃		456	1.065	7.72	5.938	7.334	5.642	〃	244,135
S20.4.2～S21.4.1	79	〃	〃	〃	115,411	〃	63歳	〃		468	1.032	7.61	5.854	7.230	5.562	〃	223,792
S21.4.2～S22.4.1	78	〃	〃	〃	109,325	〃	〃	60歳	61歳	480	1.000	7.50	5.769	7.125	5.481	〃	203,450
S22.4.2～S23.4.1	77	〃	16	〃	103,004	〃	64歳	〃	〃	〃	〃	〃	〃	〃	〃	〃	183,107
S23.4.2～S24.4.1	76	〃	17	〃	96,683	〃	〃	〃	62歳	〃	〃	〃	〃	〃	〃	〃	162,765
S24.4.2～S25.4.1	75	〃	18	〃	90,597	〃	—	〃	〃	〃	〃	〃	〃	〃	〃	〃	142,422
S25.4.2～S26.4.1	74	〃	19	〃	84,276	〃	〃	〃	63歳	〃	〃	〃	〃	〃	〃	〃	122,080
S26.4.2～S27.4.1	73	〃	—	〃	77,955	〃	〃	〃	〃	〃	〃	〃	〃	〃	〃	〃	101,737
S27.4.2～S28.4.1	72	21	—	〃	71,869	〃	〃	〃	64歳	〃	〃	〃	〃	〃	〃	〃	81,395
S28.4.2～S29.4.1	71	22	—	〃	65,548	61歳	—	〃	〃	〃	〃	〃	〃	〃	〃	〃	61,052
S29.4.2～S30.4.1	70	23	〃	〃	59,227	〃	—	〃	—	〃	〃	〃	〃	〃	〃	〃	40,710
S30.4.2～S31.4.1	69	24	〃	〃	53,141	62歳	—	〃	—	〃	〃	〃	〃	〃	〃	〃	20,367
S31.4.2～S32.4.1	68	25	〃	〃	46,960	〃	—	〃	—	〃	〃	〃	〃	〃	〃	〃	—
S32.4.2～S33.4.1	67	〃	〃	〃	40,620	63歳	—	〃	—	〃	〃	〃	〃	〃	〃	〃	—
S33.4.2～S34.4.1	66	〃	〃	〃	34,516	〃	—	61歳	—	〃	〃	〃	〃	〃	〃	〃	—
S34.4.2～S35.4.1	65	〃	〃	〃	28,176	64歳	—	〃	—	〃	〃	〃	〃	〃	〃	〃	—
S35.4.2～S36.4.1	64	〃	〃	〃	21,836	〃	—	62歳	—	〃	〃	〃	〃	〃	〃	〃	—
S36.4.2～S37.4.1	63	〃	〃	〃	15,732	65歳	—	〃	—	〃	〃	〃	〃	〃	〃	〃	—
S37.4.2～S38.4.1	62	〃	〃	〃	0	〃	—	63歳	—	〃	〃	〃	〃	〃	〃	〃	—
S38.4.2～S39.4.1	61	〃	〃	〃	—	〃	—	〃	—	〃	〃	〃	〃	〃	〃	〃	—
S39.4.2～S40.4.1	60	〃	〃	〃	—	〃	—	64歳	—	〃	〃	〃	〃	〃	〃	〃	—
S40.4.2～S41.4.1	59	〃	〃	〃	—	〃	—	〃	—	〃	〃	〃	〃	〃	〃	〃	—
S41.4.2以降	58	〃	〃	〃	—	〃	—	65歳	—	〃	〃	〃	〃	〃	〃	〃	—

※乗率はすべて $\frac{1}{1,000}$ を掛けて計算してください。
報酬比例部分の乗率は平成12年改正前と改正後の2種類の計算式で計算した結果、高いほうの額となります。
※「厚生年金の中高齢特例」および「厚生・共済年金の加入期間」は遺族年金などで使います。

INDEX

あ

按分割合‥‥‥‥‥‥‥186、189、193
育児休業‥‥‥‥‥‥‥‥‥‥‥‥‥60
遺族基礎年金‥‥‥‥‥‥‥‥154、183
遺族基礎年金受給額‥‥‥‥‥‥‥158
遺族厚生年金‥‥‥‥‥‥‥‥153、166
遺族厚生年金額‥‥‥‥‥‥‥‥‥172
遺族厚生年金受給権者‥‥‥‥‥‥170
遺族厚生年金の受給要件‥‥‥‥‥168
遺族（補償）年金‥‥‥‥‥‥2、228
姻族‥‥‥‥‥‥‥‥‥‥‥‥‥‥175
インターネット‥‥‥‥‥‥‥‥‥‥14
延長制度‥‥‥‥‥‥‥‥‥‥‥‥118
恩給公務員‥‥‥‥‥‥‥‥‥‥‥‥70

か

海外‥‥‥‥‥‥‥‥‥‥‥‥‥‥‥75
会計検査院‥‥‥‥‥‥‥‥‥‥‥104
外国人‥‥‥‥‥‥‥‥‥‥‥‥‥‥64
加給年金‥‥‥‥‥‥‥‥94、96、136
学生納付特例制度‥‥‥‥‥‥‥‥‥42
確定拠出年金‥‥‥‥‥‥‥‥‥‥‥18
確定申告‥‥‥‥‥‥‥‥‥‥‥‥148
確定年金‥‥‥‥‥‥‥‥‥‥‥‥‥81
合算対象期間‥‥‥‥‥‥‥‥70、72
加入可能年数‥‥‥‥‥‥‥‥‥‥‥80
加入要件‥‥‥‥‥‥‥‥‥‥‥‥‥56
寡婦年金‥‥‥‥‥‥‥‥‥‥162、166
カラ期間‥‥‥‥‥‥‥‥‥‥70、72
基準障害‥‥‥‥‥‥‥‥‥‥‥‥216
基礎年金‥‥‥‥‥‥‥‥‥‥‥‥‥2
基礎年金拠出金‥‥‥‥‥‥‥‥‥‥34
基本月額‥‥‥‥‥‥‥‥‥‥‥‥103
基本手当‥‥‥‥‥‥‥‥‥‥‥‥116
求職の申し込み‥‥‥‥‥‥116、119
給付制限‥‥‥‥‥‥‥‥‥116、220
給付日数‥‥‥‥‥‥‥‥‥117、120
給与所得控除‥‥‥‥‥‥‥‥‥‥146
共済年金‥‥‥‥‥‥‥‥‥‥20、30
強制加入‥‥‥‥‥‥‥‥‥‥‥‥198
繰上げ受給‥‥‥‥‥‥‥‥‥‥‥124
繰下げ‥‥‥‥‥‥‥‥‥‥‥‥‥132
繰下げ加算額‥‥‥‥‥‥‥‥‥‥138
繰下げ受給‥‥‥‥‥‥‥‥124、132
経過的加算‥‥‥‥‥‥‥‥‥‥‥‥92
経過的寡婦加算‥‥‥‥‥‥‥‥‥178

血族‥‥‥‥‥‥‥‥‥‥‥‥‥‥175
減額率‥‥‥‥‥‥‥‥‥‥‥‥‥124
現況届‥‥‥‥‥‥‥‥‥‥‥‥‥145
健康保険被扶養者（異動）届‥‥‥39
源泉徴収票‥‥‥‥‥‥‥‥‥‥‥149
子‥‥‥‥‥‥‥‥‥‥‥‥‥‥‥‥3
合意分割‥‥‥‥‥‥‥‥‥‥‥‥186
口座振替‥‥‥‥‥‥‥‥‥‥‥‥‥46
公正証書‥‥‥‥‥‥‥‥‥‥189、195
厚生年金‥‥‥‥‥‥‥‥‥‥20、50
厚生年金基金‥‥‥‥‥‥‥‥‥‥111
厚生年金・共済年金加入特例‥‥‥71
厚生年金適用事業所‥‥‥‥‥‥‥‥54
厚生年金保険料‥‥‥‥‥‥‥‥‥‥58
厚生年金保険料額表‥‥‥‥‥‥‥‥58
公的年金等控除額‥‥‥‥‥‥‥‥146
高年齢雇用継続基本給付金
‥‥‥‥‥‥‥‥‥‥‥‥‥‥‥112
高年齢雇用継続給付‥‥‥‥‥‥‥112
高年齢再就職給付金‥‥‥‥‥‥‥114
高齢任意加入制度‥‥‥‥‥‥‥‥‥74
高齢任意加入被保険者‥‥‥‥‥‥‥63
国保組合（国民健康保険組合）‥‥54
国民皆年金制度‥‥‥‥‥‥‥‥‥198
国民年金基金‥‥‥‥‥‥‥‥48、150
個人年金‥‥‥‥‥‥‥‥‥‥32、150
戸籍謄本（戸籍抄本）‥‥‥‥144、181
国庫負担‥‥‥‥‥‥‥‥‥‥‥‥‥32
固定的な賃金‥‥‥‥‥‥‥‥‥‥‥58
雇用保険‥‥‥‥‥‥‥‥‥‥‥‥‥54

さ

財形貯蓄‥‥‥‥‥‥‥‥‥‥‥‥‥68
財形年金‥‥‥‥‥‥‥‥‥‥‥‥150
再就職手当‥‥‥‥‥‥‥‥‥‥‥114
在職老齢年金‥‥‥‥‥‥‥‥102、122
再審査請求‥‥‥‥‥‥‥‥‥‥‥222
裁定請求‥‥‥‥‥132、142、180、222
再評価率‥‥‥‥‥‥‥‥‥‥‥‥‥28
3号分割‥‥‥‥‥‥‥‥‥‥186、190
産前産後休業‥‥‥‥‥‥‥‥‥‥‥60
支給停止‥‥‥‥‥‥‥‥‥160、220
支給率‥‥‥‥‥‥‥‥‥‥‥‥‥138
事後重症‥‥‥‥‥‥‥‥‥‥‥‥216
事実婚‥‥‥‥‥‥‥‥‥‥‥‥‥‥35
事実上婚姻関係‥‥‥‥‥‥‥‥‥156
失業の認定‥‥‥‥‥‥‥‥‥‥‥120

■INDEX

失業保険……………………116、120
失権………………160、162、174、220
実施機関……………………………20、22
死亡一時金……………………164、166
死亡診断書……………………181、183
死亡届記載事項証明書………………181
社会保険審査会………………………222
社会保険審査官………………………222
社会保障協定……………………………64
住基ネット……………………………145
終身年金…………………………………80
収入………………………………………40
18歳未満の子……………………………3
住民票…………………………………181
受給期間の延長………………………118
受給資格…………………………………70
受給資格期間……………………………70
受給要件………………………………154
受診状況等証明書……………………223
出産手当金………………………………61
種別変更…………………………………36
障害基礎年金…………………………200
障害基礎年金の年金額………………202
障害厚生年金……………………200、210
障害厚生年金の年金額………………212
障害手当金……………………………214
障害等級表……………………………204
障害認定日……………………………200
小規模企業共済………………………150
傷病手当………………………………116
傷病手当金……………………………230
情報通知書……………………………196
情報提供………………………………196
所在不明………………………………161
所得………………………………………40
所得控除………………………147、148
所得税…………………………146、226
所得制限………………………………206
審査請求………………………………222
申請免除…………………………………40
診断書…………………………………223
随時改定……………………………58、60
推定する………………………………168
生計維持………………………94、154
生計維持確認届………………………145
生計が同一……………………………154
世代間扶養………………………………30

前納割引制度……………………………46
全部繰上げ……………………………124
総報酬月額相当額……………………103
その他障害……………………………218
損益分岐点……………………127、134

た

第1号改定者…………………………192
第1号（〜4号）厚生年金被保険者……22
第1号被保険者…………………31、34
待期……………………………………116
第3号被保険者…………31、34、38
胎児……………………………158、170
対象期間標準報酬総額………………186
退職時改定……………………………108
第2号改定者…………………………192
第2号被保険者…………………31、34
滞納……………………………………156
脱退一時金………………………………66
脱退手当金………………………………72
短期要件………………………169、172
治ゆ……………………………………200
中高齢寡婦加算………………………176
中高齢の特例……………………71、96
長期要件………………………169、172
直系……………………………………175
賃金スライド……………………………28
追納制度…………………………………44
定額部分…………………86、87、90
定時決定…………………………………58
適用事業所………………………54、62
転給……………………………………170
当然被保険者……………………………62
特定障害者……………………………208
特別支給の老齢厚生年金………………78
特別障害給付金………………………208
特例任意加入制度………………………74

な

内縁の妻………………………94、156
20歳前の障害基礎年金………………206
日本年金機構……………………………58
任意加入……………………………62、74
任意加入制度……………………………74
任意単独被保険者………………………63
任意適用事業所…………………………55
年金………………………………………2

ねんきん定期便……………14、17、143
年金手帳……………………………181
ねんきんネット………………14、143
年金分割のための情報提供…………196
納付猶予制度………………40、42、44

は

端数処理………………………………132
早割………………………………………46
ハローワーク……………………………61
被扶養配偶者……………………35、36
被保険者期間……………………………52
標準報酬月額……………………58、103
病歴・就労状況等申立書……………222
付加年金…………………………………84
付加保険料………………………84、164
物価スライド……………………………28
扶養親族等申告書……………………148
振替加算…………………………98、100
併給調整…………………224、226、230
平均支給率……………………………138
平均標準報酬額…………………………88
平均標準報酬月額………………………88
平均余命………………………………126
併合……………………………………216
傍系……………………………………175
報酬比例部分……………………86、88
法定免除…………………………………40
保険料……………………………………58
保険料水準固定方式……………………28
保険料納付記録………………………188
保険料納付済期間………………………70
保険料納付要件………33、157、200
保険料免除………………………40、42、61
保険料免除期間…………………………70

ま

マクロ経済スライド……………………28
未婚のひとり親…………………………40
未支給年金……………………………182
みなす…………………………………168
未納期間…………………………………52
名目手取り賃金変動率…………………12
免除………………………………………60
免除期間…………………………………82

や

有期年金…………………………………81

ら

離婚時の年金分割……………………186
離婚時みなし被保険者期間…………188
離職時賃金日額………………………114
離職票…………………………………118
累計額……………………………127、135
労災保険…………………………228、230
老齢基礎年金……………………………76
老齢基礎年金の額………83、100、124
老齢厚生年金……………………………78
老齢厚生年金計算式……………………86
老齢厚生年金受給開始年齢……………78
老齢年金……………………………2、70

わ

ワンストップサービス…………136、180

●執筆

下山 智恵子（しもやま ちえこ）

特定社会保険労務士、ファイナンシャルプランナー
大手電子部品メーカー人事部にて、12年間人事労務全般について経験後、1998年下山社会保険労務士事務所（現：インプルーブ社会保険労務士法人）を開設。2004年人事労務コンサルティングと給与計算アウトソーシング会社の株式会社インプルーブ労務コンサルティングを設立、代表取締役に就任。
人事労務のコンサルティングを中心に、社外人事部としての経営サポートを行っている。就業規則をはじめとする各種規程、賃金制度等社内諸制度の企画、相談を数多く手がけている。
『労働基準法がよくわかる本』（成美堂出版）をはじめ、『労政時報』連載など執筆、講演も多数。
https://www.improve1998.com

甲斐 美帆（かい みほ）

特定社会保険労務士　CFPファイナンシャル・プランナー
立命館大学産業社会学部卒業後、大手自動車メーカー販売会社の営業職に従事。その後、人材教育会社において、企業研修・セミナーの企画運営、教育制度の開発に携わる。
2002年人事・教育、労務管理制度の立案から運営までを手がける"人材教育全般の総合コンサルティング会社"株式会社アクティブ・リードを設立。
企業や官公庁にて人材開発研修、教育体系や人事考課の策定、金融機関において職員向けの年金研修、その他ライフプランに関するセミナー等、職場活性化支援コンサルティングや研修・講演活動を行っている。
http://www.a-lead.co.jp

本書に関する正誤等の最新情報は、下記のURLをご覧ください。
https://www.seibidoshuppan.co.jp/support/

※上記アドレスに掲載されていない箇所で、正誤についてお気づきの場合は、書名・発行日・質問事項・氏名・住所・FAX番号を明記の上、成美堂出版まで郵送またはFAXでお問い合わせください。お電話でのお問い合わせは、お受けできません。また、年金相談等はお受けできません。
※内容によっては、ご質問をいただいてから回答を郵送またはFAXで発送するまでお時間をいただく場合もございます。
※ご質問の受付期限は、2025年7月末到着分までとさせていただきます。ご了承ください。

もらえる年金が本当にわかる本 '24〜'25年版

2024年10月30日発行

著　者　下山智恵子　甲斐美帆
発行者　深見公子
発行所　成美堂出版
　　　　〒162-8445　東京都新宿区新小川町1-7
　　　　電話(03)5206-8151　FAX(03)5206-8159
印　刷　株式会社フクイン

©Shimoyama Chieko & Kai Miho 2024 PRINTED IN JAPAN
ISBN978-4-415-33458-5
落丁・乱丁などの不良本はお取り替えします
定価はカバーに表示してあります

●本書および本書の付属物を無断で複写、複製（コピー）、引用することは著作権法上での例外を除き禁じられています。また代行業者等の第三者に依頼してスキャンやデジタル化することは、たとえ個人や家庭内の利用であっても一切認められておりません。